RACONTE-MOI

L'EXPO 67

La collection Raconte-moi *est une idée originale
de Louise Gaudreault et de Réjean Tremblay.*

Éditrice-conseil : Louise Gaudreault
Mentor : Réjean Tremblay
Coordination éditoriale : Pascale Mongeon
Direction artistique : Roxane Vaillant
Illustrations : François Couture
Design graphique : Christine Hébert
Infographie : Chantal Landry
Révision : Brigitte Lépine
Correction : Odile Dallaserra

DISTRIBUTEUR EXCLUSIF :

Pour le Canada et les États-Unis :
MESSAGERIES ADP inc.*
2315, rue de la Province
Longueuil, Québec J4G 1G4
Téléphone : 450-640-1237
Télécopieur : 450-674-6237
Internet : www.messageries-adp.com
* filiale du Groupe Sogides inc.,
  filiale de Québecor Média inc.

Données de catalogage disponibles auprès
de Bibliothèque et Archives nationales du
Québec

03-17
Imprimé au Canada

Dépôt légal : 2017
Bibliothèque et Archives nationales
du Québec

ISBN 978-2-89754-070-8

Gouvernement du Québec – Programme de crédit
d'impôt pour l'édition de livres – Gestion SODEC –
www.sodec.gouv.qc.ca

L'Éditeur bénéficie du soutien de la Société de
développement des entreprises culturelles du
Québec pour son programme d'édition.

Conseil des Arts   Canada Council
du Canada   for the Arts

Nous remercions le Conseil des Arts du Canada
de l'aide accordée à notre programme de publi-
cation.

Financé par le gouvernement du Canada
Funded by the Government of Canada   Canadä

Nous reconnaissons l'aide financière du gouvernement du Canada par l'entremise du Fonds du
livre du Canada pour nos activités d'édition.

Johanne Mercier

RACONTE-MOI
L'EXPO 67

petit homme
Une société de Québecor Média

PASSEPORT
POUR LA TERRE DES HOMMES

expo67

PASSPORT
TO MAN AND HIS WORLD

PRÉAMBULE

Charlotte vient d'arriver chez sa grand-mère Suzanne, qui habite à la campagne, pour un séjour d'une semaine. En ce début d'été, elles ont enfin l'occasion de passer de beaux moments ensemble. Ce matin, le grand-père de Charlotte est parti très tôt à la pêche. En son absence, Charlotte jardinera avec sa grand-mère.

Lorsqu'elle descend à la cave pour aller chercher les petits instruments de jardin, le regard de Charlotte est attiré par une boîte à demi ouverte. Il en dépasse un beau costume bleu et brun.

À 12 ans, Charlotte est une jeune fille curieuse. Après avoir hésité quelques minutes, elle ne peut résister. Elle prend le vêtement dans ses mains, tout en guettant l'escalier, au cas où sa grand-mère la surprendrait. Dans le fond de la boîte, il y a aussi un petit chapeau en feutre. En le retournant, elle voit un symbole en forme de croix. Qu'est-ce que ce signe mystérieux? Quel secret peut-il bien cacher?

Charlotte sait que sa grand-mère est différente des autres, et elle est bien fière d'elle. « C'est une artiste, ta grand-mère », a toujours dit le père de Charlotte. Aujourd'hui, Charlotte le réalise plus que jamais. Ce costume en est la preuve.

Les minutes passent, Charlotte hésite. Devrait-elle tout remettre en place, ni vu ni connu ? Ou avouer qu'elle a fouillé dans la boîte ? Intriguée, elle demande à sa grand-mère de venir la rejoindre, tout en espérant ne pas se faire disputer.

En apercevant Charlotte, la grand-mère est tout sourire. Charlotte est soulagée.

— Mamie, je ne sais pas si j'ai été trop curieuse, mais… c'est quoi, ce costume ?

— Une sorte d'uniforme…

— C'est à toi ?

— Bien oui, ma grande. Je le portais à l'Expo 67.

— Où?

— À la grande exposition universelle qui s'est tenue à Montréal, qu'on appelait familièrement
l'Expo 67.

— Tu visitais cette Expo en uniforme? Pourquoi?

— Mais non! C'était mon costume de travail.
J'étais hôtesse au pavillon du Québec.

Un pavillon? C'est quoi, un pavillon? Une expo,
est-ce que c'est grand? Une hôtesse, ça fait quoi?
Charlotte a plein de questions à poser à sa grand-
mère. Ça tombe bien : celle-ci prend toujours un
grand plaisir à raconter l'été de rêve qu'elle a vécu
en 1967.

De retour au jardin, Charlotte et sa grand-mère
s'installent confortablement sur la terrasse.
Suzanne commence à lui raconter l'histoire de
l'Expo 67, une grande fête qui a duré six mois, à
laquelle ont participé 62 pays. Partout sur le site,
il y avait des choses passionnantes à découvrir.

Pas surprenant que des célébrités du monde entier soient venues à l'Expo 67. On risquait toujours de croiser des rois, des princesses, des présidents, des grandes vedettes de la musique, de la télévision et du cinéma. Cet été-là, le monde entier s'était donné rendez-vous à Montréal.

Charlotte est impressionnée. Et encore plus quand sa grand-mère lui apprend que l'Expo a eu lieu sur des îles agrandies et construites par des hommes, dans le fleuve Saint-Laurent. Charlotte n'en croit pas ses oreilles.

— Et le signe sur le chapeau, mamie, c'est quoi?

— Un peu de patience, tu le sauras bien assez vite! lui répond sa grand-mère.

Le jardinage est remis à plus tard. Charlotte peut maintenant écouter sa grand-mère lui raconter une histoire qui semble merveilleuse. Pour commencer, Suzanne propose un petit voyage dans le temps. On se retrouve le 3 juillet 1967, une journée qu'elle n'oubliera jamais.

UNE JOURNÉE À L'EXPO 67

Aujourd'hui, Suzanne célèbre son 21e anniversaire. Elle vient de terminer ses études et a obtenu un emploi d'été qui fait l'envie de toutes ses copines : hôtesse au pavillon du Québec, à l'Expo 67. Son travail? Accueillir les visiteurs, les guider et répondre à leurs questions sur le Québec.

Le 3 juillet 1967, Suzanne doit travailler en fin d'après-midi, mais sa journée d'anniversaire sera quand même spéciale. Elle emmène son jeune frère à l'Expo. À 14 ans, Michel en est à sa première visite, mais il peut compter sur une guide qui connaît l'endroit comme le fond de sa poche!

Leur visite à l'Expo 67 a bien failli être compromise. Ce jour-là, la reine d'Angleterre, Élisabeth II, est en visite officielle à l'Expo. Le service de sécurité aurait souhaité qu'aucun visiteur ne soit admis sur le site en même temps que la souveraine. Pourtant, d'autres

rois et reines ont déjà visité l'Expo en toute liberté. Mais la visite de la reine d'Angleterre, c'est très spécial. Finalement, seuls les alentours du pavillon canadien sont fermés.

Suzanne et Michel se rendent tout d'abord dans un des pavillons les plus populaires de l'Expo, celui des États-Unis. Michel est fasciné par les capsules spatiales suspendues au plafond et Suzanne rêve devant les affiches géantes des vedettes de cinéma. Au pavillon de la Thaïlande, une réplique de la barque du roi flotte sur un petit étang. Au pavillon de la Grande-Bretagne, ils se prennent en photo près de statues géantes, presque aussi hautes que des maisons!

À l'heure du dîner, Suzanne a une surprise pour Michel. Elle l'emmène dans un petit casse-croûte qui sert les fameux BoBo Balls. Drôle de nom pour un plat, mais tout le monde raffole de ces délicieuses petites boules de viande asiatiques. Michel aussi!

Après avoir mangé, Michel insiste pour aller à La Ronde, le parc d'amusement de l'Expo. Pour s'y rendre, ils montent à bord de la Balade, un petit train qui roule sur des pneus. Durant le trajet de quelques minutes, Suzanne et Michel sont rêveurs. Chacun espère secrètement voir la reine en personne !

Arrivé à La Ronde, Michel n'a pas les yeux assez grands pour tout voir. Peut-être rêve-t-il... Il y a plein de manèges, de jeux, de fontaines, de carrousels, de restaurants. Il monte dans La Spirale avec Suzanne, et les voilà au sommet d'une tour de 60 mètres. De là, ils peuvent tout voir : le centre-ville de Montréal, La Ronde, le pont Jacques-Cartier. Michel s'imagine être un oiseau. Jamais il n'a été aussi haut !

Suzanne et Michel font ensuite la file pour aller dans le Spider, un manège qui ressemble à une grosse araignée noire. Dans une petite nacelle, ils tournoient dans les airs, de tous les côtés. Mieux vaut ne pas avoir mangé avant de s'y aventurer ! Ils en redescendent juste à temps pour voir un spectacle de ski nautique sur le lac des Dauphins. Près de là, ils peuvent admirer un magnifique carrousel qui date de 1885.

Le temps passe vite à l'Expo 67. Il est déjà 14 h et Suzanne doit bientôt rentrer au travail. Sur le chemin du retour vers le pavillon du Québec, Suzanne et Michel remarquent un attroupement de plusieurs dizaines de personnes. Tous regardent vers le haut. Michel les imite. Mais oui ! C'est la reine Élisabeth qui fait une balade dans le Minirail, le petit train suspendu qui parcourt l'Expo. Elle salue la foule en agitant sa petite main dans les airs. Suzanne et Michel se

regardent ; leur rêve s'est réalisé. En plus d'avoir passé une journée inoubliable, ils ont vu une vraie reine ! Et Michel jurerait qu'elle lui a envoyé la main, juste à lui !

C'est à regret que Suzanne quitte son jeune frère, qui reprend le métro pour retourner chez lui. Assis dans le wagon, Michel revit en pensée sa journée de rêve. Voir une capsule spatiale, une reine et une araignée géante en l'espace de quelques heures, c'est presque trop beau pour être vrai. Il a tellement hâte de tout raconter à ses amis.

Mais encore plus hâte de retourner à l'Expo !

2

DES SUEURS FROIDES

L'exposition universelle et internationale de première catégorie tenue à Montréal est familièrement appelée l'Expo 67. Elle se déroule du 27 avril au 29 octobre 1967. Soixante-deux pays participent à cette exposition, la plus importante jamais tenue en Amérique du Nord.

En six mois, les tourniquets enregistrent un peu plus de 50 millions d'entrées, soit deux fois et demie la population de tout le Canada à l'époque. Les organisateurs avaient prévu 30 millions de visites ; il y en a eu 20 millions de plus ! C'est ce qu'on peut appeler un énorme succès !

Une exposition universelle est une tradition vieille de plus de 100 ans. La première du genre se tient à Londres, en Angleterre, en 1851. Depuis, elles ont lieu dans les plus grandes villes du monde :

Paris, Chicago, Bruxelles, Barcelone, Melbourne, New York.

L'idée de tenir une telle exposition à Montréal n'est pas nouvelle. Différents projets ont été mis de l'avant, mais aucun n'a vu le jour. En 1956, un certain Louis-Alphonse Barthe propose à Pierre Sévigny, du Parti conservateur du Canada, d'organiser une immense foire pour le centenaire du Canada, en 1967. De fil en aiguille, cette idée fait son chemin. À l'exposition universelle de Bruxelles, en 1958, le sénateur Mark Drouin annonce l'intention du Canada de poser sa candidature pour tenir une telle exposition à Montréal en 1967, à l'occasion du centenaire du Canada. Deux ans plus tard, le Canada la soumet officiellement au Bureau international des expositions, à Paris.

Le Canada a une bonne raison de célébrer, mais il n'est pas seul dans la course. Deux autres pays veulent aussi tenir une exposition : l'Autriche et l'URSS (l'Union des républiques socialistes soviétiques), qui célèbre le 50e anniversaire de sa révolution. L'URSS est alors le plus grand pays au monde. Le Canada doit se battre contre un géant, mais l'enjeu est important. Présenter une exposition de cette envergure est très prestigieux. C'est l'occasion rêvée de faire parler de son pays partout sur la planète. Et aussi de montrer au monde entier que l'on est capable de réaliser de grands projets.

En mai 1960, peu de temps avant la tenue du vote qui couronnera le pays gagnant, l'Autriche se retire de la course. Il ne reste donc plus que deux candidats, le Canada, qui a choisi de présenter l'exposition à Montréal, et l'URSS, qui a choisi sa capitale, Moscou.

À Paris, le premier tour de scrutin se solde par un match nul : les deux pays obtiennent chacun 15 votes. Deuxième tour, troisième, quatrième, c'est toujours l'égalité. Le suspense demeure entier. Au cinquième tour, l'égalité est rompue. Le nom de la ville gagnante va être annoncé dans quelques secondes. Tout le monde retient son souffle... Moscou ! C'est l'URSS qui l'emporte ! Les représentants canadiens sont très déçus. Ils ont beaucoup travaillé à la présentation de leur dossier, mais leurs efforts n'ont pas été récompensés.

Une fois la déception passée, il faut choisir une autre façon de souligner les 100 ans du Canada. Plusieurs projets sont sur la table, mais aucun n'a l'envergure d'une exposition universelle. En 1962, coup de théâtre : l'URSS se retire.

Hourra! Le Canada profitera d'une deuxième chance! Le 13 novembre 1962, c'est officiel : le Canada est l'heureux élu.

Mais les organisateurs ne savent pas encore dans quelle galère ils s'embarquent. De nombreux défis les attendent. Où aura lieu cette exposition? Qui convaincra les pays d'y participer? Qui construira tous les pavillons? Et le plus important, l'Expo sera-t-elle prête à temps? Le monde entier viendra visiter Montréal, il ne faudrait pas être en retard!

3

DESSINE-MOI UNE ÎLE

Montréal aura son exposition universelle. Youpi!
Il y a de quoi célébrer. Mais il y a aussi de quoi
s'inquiéter. Il ne reste que quatre ans et demi
pour construire l'Expo, de loin le plus gros projet
jamais réalisé au Québec. Le maire de Montréal,
Jean Drapeau, en est très fier.

Premier défi : choisir où se tiendra ce méga-
événement. L'endroit doit être agréable, acces-
sible et très grand : quatre kilomètres sur quatre
kilomètres, l'équivalent de 275 terrains de soccer.
Pas si facile de trouver un terrain vacant aussi
vaste dans une grande ville !

Le parc Maisonneuve, de même que la montagne
qui surplombe Montréal, le mont Royal, sont sur
la liste. Mais une rumeur commence à circuler.

Pourquoi ne pas profiter du fait que Montréal est entouré d'eau? Pourquoi l'Expo 67 ne se tiendrait-elle pas sur une île plutôt qu'en ville?

On a chuchoté au maire Drapeau que l'île Sainte-Hélène serait un lieu intéressant et surtout, très original. Située au sud du centre-ville, dans le fleuve Saint-Laurent, elle est surtout visible du pont Jacques-Cartier.

L'île Sainte-Hélène a été baptisée en 1611 en l'honneur du prénom de la femme de Samuel de Champlain, le fondateur de Québec. Au début des années 1960, on y retrouve des piscines, un fort et un grand restaurant, le Hélène-de-Champlain. Les Montréalais vont sur cette île pour s'amuser depuis longtemps. Les arrière-grands-parents de Charlotte y faisaient des pique-niques avec leur petite famille.

À cette époque, il fallait prendre un traversier pour accéder à l'île. En 1930, la construction du pont Jacques-Cartier a permis de s'y rendre en auto ou à pied. À quelques minutes de la ville, on s'y croit à la campagne. Pour ceux qui veulent s'amuser en pleine nature, c'est le paradis.

Au printemps 1963, le maire Jean Drapeau confirme la nouvelle : l'Expo 67 aura lieu sur l'île Sainte-Hélène. Mais attention ! L'île est beaucoup trop petite pour accueillir l'Expo. Elle sera donc agrandie. Encore plus incroyable, une autre île sera créée à partir de zéro. Elle s'appellera l'île Notre-Dame. Inventer une île ? C'est presque de la science-fiction.

Un troisième lieu sera aménagé, la Cité du Havre. Cette pointe de terre, appelée jetée McKay, a jadis été construite entre le Vieux-Montréal et le fleuve Saint-Laurent pour protéger la ville des inondations. À l'occasion de l'Expo 67, cette jetée sera rallongée et élargie pour permettre de la relier au reste du site par le futur pont de la Concorde.

Certaines personnes contestent le choix de ces lieux. Est-ce qu'on sera capable de construire une île ? Et si on y arrive, ça ne coûtera pas trop cher ? La peur se mêle aux critiques. Ces îles artificielles pourront-elles supporter de nouvelles constructions ? Il ne faudrait pas qu'elles s'effondrent avec des milliers de visiteurs dessus ! Ce serait une véritable catastrophe !

Contre vents et marées, les travaux commencent. Il existe alors trois îles : l'île Sainte-Hélène, puis l'île Verte et l'île Ronde, plus petites. À l'endroit où sera l'île Notre-Dame, il n'y a que l'île Moffat et des traces de vase qui flottent à la surface de l'eau.

Il faut être un sacré rêveur pour croire qu'une exposition universelle puisse avoir lieu au beau milieu d'un fleuve !

Le 13 août 1963, le nouveau premier ministre du Canada, Lester B. Pearson, inaugure les travaux de construction de l'Expo. C'est parti ! Devant des centaines d'invités, il décharge 20 mètres cubes de terre sur l'île Sainte-Hélène. Ce serait énorme dans une cour d'école. Mais à l'Expo, c'est comme déposer un grain de sable dans un grand verre d'eau ! Il en faudra, du roc et de la terre, pour agrandir une île et en créer une nouvelle.

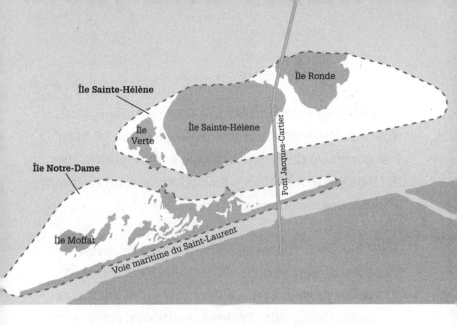

Où trouver ce roc? En fait, une des solutions vient du côté du métro de Montréal. La construction des îles de l'Expo se déroule en même temps que celle du métro. Toute une coïncidence. Le roc que l'on retire du sol pour creuser les tunnels du métro est utilisé pour construire les îles. Qui aurait pu imaginer un meilleur scénario?

La première étape pour construire une île est d'en tracer le tour. D'immenses blocs de pierre extraits de l'île Ronde vont devenir le contour des îles. Maintenant qu'elles sont « dessinées », il ne reste plus qu'à les remplir. Plus facile à dire qu'à faire !

Le plus important est qu'on ait trouvé du roc. Dans toute la ville, des camions remplis à ras bord de roc concassé du métro se dirigent vers l'île Sainte-Hélène pour aller vider leur contenu à l'intérieur des limites des nouvelles îles.

Une certaine quantité de roc provient aussi de l'immense carrière Miron, au nord de Montréal. On retire aussi du roc du fond du fleuve, résidu de la construction de la Voie maritime du Saint-Laurent. Comment est-ce possible ? L'installation de digues assèche le fond du fleuve, qu'on dynamite pour en remonter le roc. C'est ainsi que peu à peu se dessinent les îles. En dix mois, une île a été agrandie et une autre est sortie de l'eau. C'est un vrai miracle !

Au final, la quantité de roc utilisé est de 28 millions de tonnes métriques, plus que pour toutes les pyramides d'Égypte rassemblées !

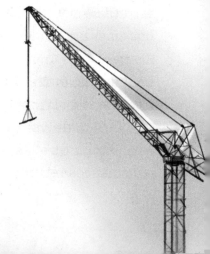

4

TERRE DES HOMMES

La création des îles se termine à peu près au même moment que la fin des classes, en juin 1964. Pour les écoliers, c'est le temps des vacances. Pour les ouvriers, pas de vacances! C'est le temps de commencer la construction des bâtiments. Il y en aura 850 en tout: pavillons, restaurants, kiosques, salles de spectacles et de cinéma, bureaux. Les pavillons des pays sont conçus par des architectes et des ingénieurs des quatre coins du monde. D'autres bâtiments sont créés par des Canadiens, qui en profitent pour démontrer leur savoir-faire.

Pendant ce temps, dans un hôtel de la région de l'Outaouais, le Château Montebello, un comité de 12 sages va élaborer les grandes orientations de l'Expo 67. Ces scientifiques, éducateurs, intellectuels et artistes y arrivent bien préparés, et en ressortent avec un programme qui tourne autour du thème Terre des Hommes. Ils adoptent deux grandes règles. La première stipule que sur le site de l'Expo, le piéton sera roi. Aucun véhicule motorisé n'y circulera, à moins d'une situation d'urgence. La deuxième veut qu'il n'y ait aucun édifice en hauteur.

Pour la première fois dans leur histoire, des Québécois pilotent un projet d'envergure internationale. Au milieu des années 1960, le Québec est peu connu dans le monde. L'Expo 67 va lui permettre de montrer qu'il peut réaliser de grandes choses. C'est pourquoi les historiens considèrent que l'Expo 67 a fait entrer le Québec dans la cour des grands.

Outre les bâtiments, il faut aussi créer des promenades, des gares, des rails surélevés, des fontaines, des installations sanitaires, un aménagement paysager. Et comme il y a plusieurs canaux sur le site, il faut aménager des plans d'eau et construire des ponts. Ce n'est pas l'ouvrage qui manque !

Encore une fois, le temps presse. L'Expo ouvre dans moins de trois ans et on a l'équivalent d'une petite ville à construire. Pas question d'être dépendant de la météo ni de lésiner sur les heures de travail. Six mille ouvriers travailleront sur les chantiers hiver comme été, parfois même de nuit.

La réalisation de l'Expo 67 est entre les mains de la Compagnie canadienne de l'exposition universelle. Les coûts de l'Expo seront partagés entre le gouvernement du Canada, le gouvernement du Québec et la Ville de Montréal. À la tête de cette compagnie, trois personnes se distinguent. Tout d'abord Pierre Dupuy, commissaire général, Robert Shaw, sous-commissaire général, et enfin le directeur de l'aménagement, le général Edward Churchill.

C'est grâce au général Churchill que les travaux de construction de l'Expo sont réalisés dans les échéanciers souhaités. À l'aide d'ordinateurs, il détecte rapidement les retards et y remédie immédiatement. Avec une grande rigueur et une main de fer, il garde le contrôle de la situation jusqu'à la fin.

***

— Tu te souviens de la création des îles? demande Charlotte à sa grand-mère.

— Bien sûr, car je rêvais déjà en secret de travailler à l'Expo. Mais je ne me doutais pas encore que ça allait être très important pour moi, que ça allait même changer ma vie.

— Changer ta vie! Est-ce que c'est là que tu as rencontré papi?

— Petite curieuse! Laisse-moi continuer mon histoire, tu verras bien.

5

62 PAYS DISENT OUI

La présentation d'une exposition universelle ne se fait pas sans la participation de plusieurs pays. La tâche de les convaincre revient à Pierre Dupuy, ex-ambassadeur du Canada en France. Il a des contacts partout dans le monde et lance les invitations. Qui veut avoir un pavillon à l'Expo 67? Qui veut en profiter pour exposer ce dont il est le plus fier? Qui veut faire connaître sa culture, ses traditions et ce qu'il mijote pour l'avenir?

Soixante-deux pays acceptent son invitation. La construction de leurs pavillons peut commencer. Chaque pays veut que son pavillon lui ressemble. Les plans arrivent donc de partout. Des provinces canadiennes, des États américains, des entreprises et des partenaires privés ont aussi leur pavillon. En tout, l'Expo 67 compte 90 pavillons.

Le thème général d'Expo 67 est « Terre des Hommes », symbolisé par un logo d'un artiste montréalais, Julien Hébert. Il représente des hommes debout, aux bras ouverts, en signe d'amitié et de fraternité. Ce logo est présent partout sur le site, ainsi que sur la plupart des uniformes des hôtesses.

Maintenant que la construction va commencer, les travailleurs et les matériaux doivent pouvoir se rendre sur les îles. Outre le pont Jacques-Cartier, deux autres ponts sont construits à une vitesse record. En 18 mois naîtront le pont de la Concorde et le pont des Îles. Le métro de Montréal sera prolongé jusqu'à Longueuil, sur la rive sud, avec un arrêt sur l'île Sainte-Hélène. Un tunnel a été creusé sous le fleuve, à une profondeur de 55 mètres, un record encore inégalé aujourd'hui.

Des milliers de travailleurs s'affairent sur le site de l'Expo. À l'automne 1966, l'extérieur de tous les pavillons est terminé. Durant l'hiver, les représentants des pavillons peuvent donc en aménager l'intérieur et installer ce qu'ils y exposeront.

Au printemps 1967, les organisateurs espèrent que la neige fonde rapidement. Bien que les pavillons soient prêts, l'aménagement extérieur reste à faire. Dès les premiers rayons de soleil, tourber et planter fleurs et arbustes sont une priorité. Mais la température glaciale jaunit le gazon récemment installé. On jouera alors d'audace en appliquant une peinture verte sur le gazon, à l'aide d'un immense vaporisateur. L'effet est saisissant. Du gazon vert dès la fin de l'hiver, voilà un autre miracle digne de l'Expo 67!

Le 27 avril, la cérémonie d'ouverture officielle a lieu à la Place des Nations, en présence de 7000 invités. Elle est présidée, par temps frisquet, par le gouverneur général du Canada, Roland Mitchener, le premier ministre du Canada, Lester B. Pearson, le premier ministre du Québec, Daniel Johnson, et le maire de Montréal, Jean Drapeau. Sous leur apparence sérieuse, tous jubilent. C'est un grand jour pour le Canada, le Québec et Montréal!

Plus que quelques heures avant la grande ouverture au public. Le 28 avril au matin, c'est un peu comme un premier jour d'école : les organisateurs sont nerveux et excités en même temps.

***

— Tu étais nerveuse, toi, grand-maman? demande Charlotte.

— Un peu, oui. Mais j'étais bien préparée. Toutes les hôtesses avaient suivi un cours pour être prêtes à accueillir les visiteurs et à répondre à toutes leurs questions.

— Et ton costume, tu l'aimais?

— Quand je l'ai mis, le matin de l'ouverture officielle de l'Expo, j'avoue que j'étais très fière. Il avait été créé par Michel Robichaud et jamais je n'aurais pensé que je porterais un jour la création de ce grand couturier québécois.

— Et la croix?

— OK, je peux maintenant te le dire! Ce symbole représente une vue du ciel du pavillon du Québec.

— Ah, merci! Je me demandais vraiment ce que c'était. J'ai une autre question : est-ce que c'est à la cérémonie d'ouverture que tu as rencontré papi?

— Non non, pas encore. Un peu de patience...

6

UN PASSEPORT
POUR LE MONDE

L'Expo 67 ouvre à la date prévue. Tout est prêt, y compris le gazon fraîchement peint! Dès 8 h du matin, 3000 personnes se massent déjà aux 200 tourniquets qui donnent accès à l'Expo. Que faire? La décision est prise rapidement : on ouvre plus tôt que prévu. C'est parti !

Pour entrer à l'Expo, on doit avoir son passeport, qu'il soit valide pour un jour, sept jours ou la saison complète. Eh oui! Le billet d'entrée prend la forme d'un passeport. Pour le passeport de saison, il faut débourser 35 $ pour les adultes, 30 $ pour les jeunes et 17,50 $ pour les enfants. Aujourd'hui, avec l'augmentation du coût de la vie, le passeport pour adultes coûterait environ 250 $. On y colle sa photo et hop ! on peut

PASSEPORT
POUR LA TERRE DES HOMMES

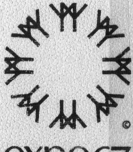

expo67

PASSPORT
TO MAN AND HIS WORLD

JEUNESSE — YOUTH

avoir accès à tous les pavillons. Chaque fois que l'on se rend dans un pavillon, une hôtesse l'estampille, comme lorsqu'on visite un nouveau pays. Certaines personnes visitent tellement de pavillons que leur passeport déborde d'estampes. Fait cocasse, comme les Québécois voyagent peu à l'époque, leur passeport de l'Expo 67 est souvent le premier de leur vie.

Pas de doute, l'Expo 67 promet d'être très populaire. Des reportages sur l'événement paraissent au pays et un peu partout dans le monde, que ce soit à la radio, à la télévision, dans les journaux. Ce sont à l'époque les seuls moyens de communication. Pas d'Internet ni de réseaux sociaux pour diffuser la grande ouverture de l'Exposition universelle de Montréal!

Dès le premier jour, l'Expo 67 accueille 407 500 visiteurs. C'est presque 20 fois le Centre Bell rempli à pleine capacité un soir de hockey. Le lendemain, il y en a encore plus, 570 000 personnes. En deux jours, près d'un million de visiteurs se sont rendus à l'Expo. C'est fou, complètement fou!

L'histoire incroyable
de la chanson officielle d'Expo 67

C'était un an avant l'ouverture de l'Expo, en 1966. La présidente du Festival du disque, Jacqueline Vézina, prend l'initiative d'organiser un concours dans le but de trouver une chanson thème pour l'Expo 67. Par lettre, elle sollicite des dizaines d'associations d'auteurs-compositeurs de 35 pays.

Stéphane Venne est un auteur-compositeur québécois de 25 ans. Il reçoit cette lettre. Elle va changer le cours de sa carrière. Comme 2200 autres jeunes artistes, il décide de participer au concours.

Le point de départ de sa chanson est le reportage d'un journal sur l'Expo 67. Parmi plusieurs photos en noir et blanc, une maquette en couleurs représente les îles qui accueilleront l'Expo. Penser à tous les étrangers qui viendront les visiter est pour lui une grande source d'inspiration.

À l'époque, beaucoup de gens prétendent que l'Expo est pour le Québec une occasion de s'ouvrir sur le monde. Stéphane, au contraire, voit le monde qui s'ouvre au Québec. Il va donc écrire une chanson qui parle de l'accueil des Montréalais, intitulée *Un jour, un jour*. Il envoie sa partition musicale aux Productions Jacquelines Vézina qui organisent le concours. ›

Pour éviter que des artistes célèbres soient privilégiés par les juges, le concours est anonyme ; on doit s'inventer un pseudonyme. Stéphane Venne choisit Sibémol.

Les organisateurs engagent des pianistes et des chanteurs pour jouer les chansons qui, sur papier, semblent les meilleures. Celle de Stéphane Venne franchit cette première étape. *Un jour, un jour* se retrouve même parmi les trois finalistes.

Le vendredi précédant le gala télévisé qui va annoncer le gagnant, Stéphane Venne apprend par hasard que sa chanson a été choisie comme thème de l'Expo 67. Sur 2200 propositions venues des quatre coins du monde, le jury a choisi sans le savoir celle d'un artiste de… Montréal !

Ce résultat aurait dû rester secret, mais un pianiste a reconnu l'écriture de Stéphane Venne. Il l'a alors appelé pour lui annoncer la grande nouvelle. Et là, il va se passer quelque chose de tout à fait spécial.

Il est connu que le dimanche suivant, à la télé de Radio-Canada, la chanson gagnante sera dévoilée puis interprétée par la grande vedette de l'heure, Michèle Richard. Mais Stéphane Venne a un autre interprète en tête, son ami et chanteur aussi très populaire à l'époque, Donald Lautrec.

Se sachant gagnant, Stéphane communique avec un producteur et durant le week-end, *Un jour, un jour* est enregistrée en vitesse, gravée sur disque et livrée aux stations de radio qui la font tourner dès le lundi matin.

Voilà pourquoi il y a deux versions de *Un jour, un jour*.
La plus connue reste celle de Donald Lautrec.

Un jour, un jour
Paroles et musique de Stéphane Venne

Un jour, un jour, quand tu viendras
Nous t'en ferons voir de grands espaces.
Un jour, un jour, quand tu viendras,
Pour toi nous retiendrons le temps qui passe.

Nous te ferons la fête, sur une île inventée
Sortie de notre tête toute aux couleurs de l'été.

Un jour, un jour, quand tu viendras
Nous t'en ferons voir de grands espaces.
Un jour, un jour, quand tu viendras,
Pour toi nous retiendrons le temps qui passe.

Dans ce pays de fable, entre deux océans
On fait à chaque table, une place qui t'attend.

Un jour, un jour, quand tu viendras
Nous t'en ferons voir de grands espaces.
Un jour, un jour, quand tu viendras,
Pour toi nous retiendrons le temps qui passe.

Déjà la terre est verte et la brise sent bon,
Nos portes sont ouvertes pour ceux qui arriveront.

Un jour, un jour, ne tarde pas
Un jour, un jour, nous serons là
Un jour, un jour, quand tu viendras

7

BIENVENUE DANS
LA VILLE DU FUTUR

Ce qui frappe en arrivant à l'Expo, ce sont les formes bizarres des pavillons et des restaurants. Les architectes et les ingénieurs se sont passé le mot : il faut oser, surprendre, impressionner.

Alors que l'on est habitué à voir des maisons et des édifices plutôt carrés, les bâtiments de l'Expo 67 ont des formes rondes, triangulaires, géométriques. Même leur construction est étrange. Le pavillon du Canada est une pyramide à l'envers ! Le toit du pavillon de l'Allemagne est composé de 9290 m² de plastique transparent supporté par huit mâts d'acier. Les murs extérieurs du pavillon de l'Iran sont recouverts d'une grande mosaïque. Le pavillon des États-Unis est un dôme géant. Le pavillon du Mexique a un gros coquillage sur le toit. Le pavillon de la Thaïlande ressemble à un gros château de sable et celui d'Air Canada a un toit en forme de spirale. Le site de l'Expo ressemble à une ville du futur.

On découvre aussi des pays dont on n'a jamais entendu parler. En 1967 au Québec, peu de gens connaissent la Birmanie, le Ceylan ou le Venezuela!

D'autres surprises attendent les visiteurs à l'intérieur des pavillons. Le choc des cultures est grand. Dès l'entrée, les hôtesses accueillent les visiteurs vêtues du costume traditionnel de leur pays, ou encore des nouvelles tendances de la mode. C'est loin de ressembler à la robe des mamans de l'époque! Leurs minijupes, robes longues, plumes, tissus de toutes les couleurs, sandales de cuir, chapeaux de toutes formes, bijoux jamais vus, tout donne l'impression d'être ailleurs qu'à Montréal.

Si les yeux sont surpris, les oreilles aussi. Au Québec, en 1967, les gens parlent surtout le français et l'anglais. Sur le site de l'Expo 67, on entend plusieurs langues. Les gens qui travaillent dans les pavillons parlent la langue de leur pays, tout comme les touristes. Parfois, se parler par des signes est la seule façon de se comprendre. Mais qu'importe. À l'Expo 67, tous les habitants de la terre sont des amis, des voisins. Après tout, on est à Terre des Hommes !

Chaque visite à l'Expo 67 apporte son lot d'étonnement et d'émerveillement. Des œuvres d'art modernes, de toutes les formes, étonnent les petits et les grands. De grands tableaux électroniques placés un peu partout sur le site annoncent les activités à surveiller. Il y a même des appareils qui massent les pieds pour les reposer des grandes distances parcourues. Et des défilés de mode avec des mannequins sur patins à roulettes. On va de surprise en surprise.

Comme le téléphone cellulaire n'existe pas encore, les cabines téléphoniques sont omniprésentes sur le site de l'Expo. Et surtout, elles sont complètement différentes de celles que l'on trouve ailleurs. Dans les cabines traditionnelles, on entre et on ferme la porte, comme si on s'enfermait dans un

petit garde-robe vitré. À l'Expo, les téléphones publics n'ont qu'un petit toit en forme d'ombrelle d'acrylique transparent. Ils semblent sortir directement d'un film futuriste.

Personne ne s'ennuie à l'Expo. On pourrait y aller tous les jours et ne pas réussir à tout voir. Par exemple, on y présente 6000 spectacles, petits et grands. On peut entendre un petit groupe de percussionnistes sur une terrasse du pavillon de Trinidad et Tobago, ou voir le célèbre ballet du Bolchoï à la Place des Arts. Il y en a pour tous les goûts, que ce soit dans les pavillons, les amphithéâtres à ciel ouvert, les places publiques, l'Expo-théâtre, le Jardin des Étoiles ou la Place des Nations, un endroit très fréquenté situé à l'extrémité ouest de l'île Sainte-Hélène. Les drapeaux de tous les pays participants flottent au vent et les soirs de spectacle, l'ambiance est magique.

C'est aussi là que se déroulent les Journées nationales. Ces journées sont comme une fête qu'un pays offre aux visiteurs de l'Expo. Le matin, le chef d'État participe à une cérémonie officielle et en fin d'après-midi, on organise une fête populaire où l'on danse et chante selon les coutumes de ce pays.

Les spectacles musicaux à grand déploiement s'inscrivent dans un festival créé pour l'Expo, le Festival mondial des arts. Il est présenté à la Place des Arts, louée par les organisateurs pour toute la durée de l'Expo 67. Près de 700 événements y sont présentés, mettant en vedette 25 000 artistes. C'est comme si le Festival de jazz, Juste pour rire, Osheaga et dix autres festivals avaient lieu en même temps! Opéra, ballet, musique populaire, jazz, danse, grands orchestres, les meilleurs spectacles de la planète font un détour par Montréal.

Méconnue jusque-là, la ville devient une plaque tournante dans l'industrie du divertissement. Encore aujourd'hui, elle bénéficie des retombées de ce festival.

Le même phénomène se produit avec la gastronomie. Après l'Expo 67, les Québécois découvriront une foule de nouveaux plats.

8

NOURRIR DES MILLIONS DE PERSONNES

En 1967, la majorité des Québécois ne mangent ni pita ni fondue suisse ni sushi. Dans leurs assiettes, on trouve plutôt de la soupe aux pois, du pâté chinois et du macaroni. À l'Expo, tout un monde de nouvelles saveurs s'offre à eux puisque plusieurs pavillons exploitent des restaurants qui servent la cuisine traditionnelle de leur pays. La plupart des plats sont créés à partir d'ingrédients importés, authenticité garantie!

Qu'il soit composé d'acras de morue, de poulet aux ananas, de salade de citrons et d'oignons ou de veau farci à la cervelle, chaque repas devient une aventure gastronomique. L'Expo 67 marque donc une coupure dans les habitudes alimentaires des Québécois. À partir de ce jour, la cuisine d'ailleurs se retrouve dans les assiettes d'ici!

Durant l'Expo 67, les visiteurs dé-
pensent 75 millions de dollars pour se
nourrir. Ce ne sont pas les restaurants
qui manquent : il y a 30 000 places
assises et 15 000 serveurs et ser-
veuses. En restauration rapide,
la consommation impressionne :
il se mange plus de 10 millions
de hot-dogs, plus de 6 millions de
hamburgers et plus de 3 millions de kilos de frites.

Plusieurs restaurants de l'Expo sont à ciel ouvert.
Les casse-croûte et salles à manger sont souvent
aménagés sur le bord d'un canal. Manger en plein
air paraît banal aujourd'hui, mais à l'époque, les
terrasses sont interdites à Montréal. Manger sous
le soleil ou à la belle étoile ajoute au charme de
l'Expo.

Mais le but principal du visiteur est de se promener dans les pavillons. Visiter un pavillon, c'est
presque comme visiter un pays, sans se déplacer.
Grâce à l'Expo, on peut faire un tour du monde en
quelques heures !

Évidemment, certains pavillons ont la cote d'amour du public. Outre le pavillon du Canada, avec ses 11 millions de visiteurs, ceux des États-Unis et de l'URSS sont les deux plus visités : 13 millions pour l'URSS et 9 millions pour les États-Unis.

— Des millions de personnes dans un pavillon ? s'étonne Charlotte. Il devait être grand...

— Oui, très grand, mais ils n'étaient pas là tous en même temps ! blague sa grand-mère, qui ajoute : je suggère qu'on prenne maintenant une pause...

— Ah non ! Je suis curieuse, moi, de savoir ce qu'il y avait dans ces deux pavillons pour qu'ils soient si populaires.

— Je te propose plutôt de venir avec moi faire un tour sur le site de l'Expo.

— Wow ! On peut y aller, pour de vrai ?

— Oui, ma grande. Demain matin après le déjeu-
ner, on s'en va sur les îles.

— T'es sûre qu'elles sont assez solides?

— Ça fait plus de 50 ans qu'elles résistent, et en
plus, elles ont accueilli plusieurs millions de visiteurs en un seul été ; ne t'en fais pas.

— J'ai trop hâte !

9

MYSTÉRIEUSE URSS

Dans le métro qui les emmène sur l'île Sainte-Hélène, Charlotte apprend par sa grand-mère qu'en 1967, les États-Unis et l'URSS sont les deux pays les plus puissants au monde. Mais ils sont aussi de grands ennemis. Il existe une forme de guerre entre eux, appelée guerre froide. Ils ne s'affrontent pas avec des fusils, mais plutôt avec des menaces et de l'espionnage.

Sur le site de l'Expo 67, les organisateurs ont placé leurs pavillons tout près l'un de l'autre, mais séparés par un cours d'eau. Il ne fallait pas créer d'incident. Les deux pays ont une seule exigence : que leurs portes d'entrée ne soient pas face à face.

Le pavillon des États-Unis est situé sur l'île Sainte-Hélène et celui de l'URSS, sur l'île Notre-Dame. C'est la passerelle du Cosmos qui relie une rive à l'autre. C'est au milieu de cette passerelle, à quelques pas de la station de métro, que se trouvent Charlotte et sa grand-mère.

***

— C'est quoi, cette grosse boule?

— L'ex-pavillon des États-Unis.

— Il est toujours resté là, depuis la fin de l'Expo?

— Oui, mais il a bien changé, je te raconterai... Regarde de l'autre côté de ce petit cours d'eau maintenant et essaie d'imaginer un autre grand pavillon, celui de l'URSS.

— C'est difficile... Je ne sais même pas à quoi il ressemble.

— Le voici!

Suzanne montre à Charlotte, sur sa tablette, une photo du pavillon soviétique dans toute sa splendeur.

En plein cœur du site de l'Expo, la grand-mère commence à raconter à Charlotte l'histoire fascinante de ces deux pavillons.

***

Les Canadiens connaissent bien les États-Unis, leur voisin. Mais l'URSS demeure un pays méconnu, qui inspire même la peur. Ses frontières sont fermées au grand public ; peu de gens ont le droit de le visiter. Comment vivent les Soviétiques ?

Personne ne le sait vraiment. Ce mystère explique sûrement que son pavillon soit le plus populaire de l'Expo, avec 13 millions d'entrées.

Rappelons que c'est l'URSS qui devait tout d'abord présenter l'exposition universelle de 1967, avant de se désister. À Montréal, le pays veut donc faire bonne impression. À preuve : son pavillon est celui dont la construction a coûté le plus cher, soit 15 millions de dollars.

L'URSS a rarement l'occasion de s'ouvrir au monde. Le pays est en mode séduction diront les uns, en mode propagande diront les autres. Peu importe, les foules accourent. Le pavillon de l'URSS accueille en moyenne plus de 70 000 visiteurs par jour. Il faut patienter des heures pour y avoir accès. Mais en passant la porte, on se sent presque sur une autre planète tellement le dépaysement est grand.

Créé par l'architecte Mikhaïl Posokhine, le pavillon de l'URSS est fait d'acier et de béton, avec des murs en verre. Son éclairage de nuit est très spectaculaire. Mais ce qui impressionne le plus, c'est son toit en forme de piste de saut à ski.

À l'intérieur, un film projeté dans un cinéma de 600 places montre des Soviétiques dans leur maison, au travail et dans leurs loisirs. Des défilés de mode ainsi que des mets soviétiques servis dans un restaurant de 1100 places donnent une meilleure idée de ce qui se passe dans ce pays inconnu. En passant, ce restaurant est le plus grand de l'Expo !

En 1967, l'URSS et les États-Unis sont au cœur de la conquête de l'espace. Leurs pavillons respectifs consacrent une large place à leur programme spatial. Chacun veut démontrer qu'il est supérieur à l'autre. À cette époque, personne n'a encore foulé le sol de la Lune. Car même si on peut voir la Lune à l'œil nu, elle est très loin de la Terre : à 384 400 kilomètres. À bord d'une fusée, il faudrait plusieurs jours pour s'y rendre.

Pour démontrer leur savoir-faire, les Soviétiques en mettent plein la vue. Une des grandes attractions de leur pavillon est la présence de nombreux Spoutnik, la première génération d'engins placés en orbite autour de la Terre. Le Cosmos Hall, un petit cinéma en forme de sphère, présente un film qui relate un voyage imaginaire sur la planète Mars. Enfin, une reproduction de la surface de la Lune permet de faire comme si on « marchait » sur cette dernière.

La foule s'attarde particulièrement devant le *Vostok 1,* ce petit vaisseau qui a emmené le premier homme dans l'espace, Youri Gagarine, en 1961. Fait impressionnant, il porte encore les marques du feu qui l'a noirci lors de son vol historique. Au cours de sa descente vers la Terre, le *Vostok 1* était entouré de flammes et ressemblait à un nuage de feu. Malgré tout, sa mission a été couronnée de succès : Youri Gagarine a réussi à faire le tour de la Terre en 89 minutes! Les Soviétiques sont fiers de cet exploit et ne se gênent pas pour en parler.

Mais qui gagnera la course vers la Lune? Nul ne le sait encore. Dans un discours historique pro-

noncé en septembre 1962, le président des États-Unis, John F. Kennedy, promet que des Américains marcheront sur la Lune avant la fin des années 1960.

Le pavillon des États-Unis doit convaincre les visiteurs de l'Expo 67 que leur président a raison.

10

LE PLUS GRAND DÔME
AU MONDE

Le pavillon des États-Unis est situé à quelques minutes de marche du pavillon de l'URSS. Il a la forme d'une énorme sphère, appelée dôme géodésique. C'est même le plus gros dôme au monde, de la hauteur d'un édifice de 20 étages! Conçu par l'architecte Richard Buckminster Fuller, il révolutionne l'architecture moderne. Sa structure est faite d'un treillis en métal recouvert de polymère. Le jour, il reflète les rayons du soleil, et la nuit, il devient doré. C'est sans contredit le pavillon le plus spectaculaire de l'Expo.

Comme pour le pavillon de l'URSS, il faut s'armer de patience pour y entrer. Mais une fois à l'intérieur, on n'a pas les yeux assez grands pour tout voir. Tout est surdimensionné, reflet fidèle du penchant des Américains pour l'extravagance. On peut admirer 22 peintures mesurant jusqu'à

28 mètres, œuvres d'artistes qui sont en train de redéfinir l'art, dont Roy Lichtenstein et Andy Warhol. Trente-trois photographies géantes de vedettes de cinéma, une voiture taxi jaune typique sortie tout droit des rues de New York et de nombreux objets du Far West témoignent de différents pans de la culture américaine.

Mais rien n'est plus excitant que de monter dans l'escalier mécanique le plus long au monde, qui mène sur la plateforme Objectif Lune. Sur cette plateforme, d'une hauteur de neuf étages, les Américains présentent leur programme spatial Apollo.

Ce programme a été créé en 1961 par la NASA dans le but d'envoyer le premier homme sur la Lune. On peut voir de près deux vraies capsules, *Freedom Seven Mercury* et *Gemini VII,* qui sont allées dans l'espace, ainsi qu'une reproduction de la sonde *Surveyor. Surveyor* a été envoyée sur la Lune pour établir une méthode d'alunissage en douceur.

Des maquettes grandeur nature de satellites et d'engins spatiaux sont suspendues au plafond à d'énormes parachutes. Des combinaisons d'astronautes et des repas servis dans l'espace montrent que la science avance à grands pas.

Un enregistrement permet aux visiteurs d'entendre les communications entre la NASA et les astronautes lors des secondes qui précèdent le lancement d'un vaisseau, ainsi que leurs conversations avec les contrôleurs au sol. De nombreuses photos de l'espace rendent l'expérience encore plus réelle.

En quittant le pavillon des États-Unis, revenir sur Terre n'est pas facile! Cette visite a été comme un rêve, presque de la science-fiction. Bizarre d'être à Montréal quand on était presque sur la Lune deux minutes plus tôt! À voir toutes les capsules, on se dit que ce pays est vraiment près de réaliser un des plus grands rêves de l'être humain. Et ce fut le cas.

Le 20 juillet 1969, deux ans après l'Expo, les Américains devancent les Soviétiques au fil d'arri-

vée. Les astronautes Neil Armstrong et Edwin
« Buzz » Aldrin marchent sur la Lune. Le monde
entier est rivé à son petit écran, alors que la télévision transmet leurs premiers pas historiques.

Quant aux pavillons de l'URSS et des États-Unis,
ils ont résisté au temps. Le premier a été défait en
morceaux et envoyé en URSS dans d'énormes
conteneurs. Là-bas, il a été reconstruit et installé
dans un parc de la capitale du pays, Moscou.

Le pavillon des États-Unis domine toujours l'île
Sainte-Hélène. Peu après la fin de l'Expo, le président des États-Unis l'a offert à la ville de
Montréal. Ce n'est pas tous les jours qu'on reçoit
en cadeau le plus grand dôme au monde ! Bien
sûr, les Américains sont repartis avec tout son
contenu, mais même vide, le dôme est impressionnant. De 1968 à 1976, on a pu visiter des expositions, des jardins thématiques et y faire toutes
sortes d'activités pour la famille. Après avoir été
la vedette de l'Expo 67, le dôme a fait la fierté des
Montréalais.

Mais le 20 mai 1976, c'est le drame. Des ouvriers font des travaux de soudure sur le dôme quand soudain, il se transforme en une boule de feu. En 30 minutes, son recouvrement de polymère brûle, ne laissant que sa structure d'acier. Cet immense incendie peut être vu à des kilomètres à la ronde. Il était triste de voir ce symbole de l'Expo 67 s'envoler en fumée.

Pendant près de 20 ans, le dôme restera fermé. En 1995, il rouvre sous le nom de Biosphère, un musée consacré à la protection de l'environnement.

Charlotte et sa grand-mère s'entendent pour poursuivre leur visite dans les îles en allant voir une exposition à la Biosphère. Sous le dôme, elles pourront même rêver qu'elles sont à l'Expo 67 !

||

UN MONDE DE DÉCOUVERTES

Le pavillon du Canada est le plus grand pavillon de l'Expo 67 et le deuxième plus visité de l'Expo. Composé de neuf bâtiments, il est surmonté d'une grande pyramide... à l'envers. Nommée Katimavik (qui signifie «lieu de rencontre», en inuktitut), elle impressionne par sa dimension : 30 mètres de hauteur et près de 60 mètres de longueur. On atteint son sommet par un long escalier ou une remontée mécanique, appelée funiculaire. La petite histoire veut que sa création soit due au hasard. C'est en mettant un cendrier sur la maquette du pavillon, afin d'en faire coller certains éléments, que les architectes pensent à créer une pyramide.

Au pied de cette pyramide se trouvent cinq théâtres, un sanctuaire, un centre récréatif pour les enfants, une galerie d'art, un amphithéâtre en plein air de 1200 places, un terrain de jeu pour les enfants ainsi que des casse-croûte et le restaurant La Toundra.

Une des attractions les plus spectaculaires du pavillon est une œuvre d'art en forme d'érable, assez grande pour permettre à 300 personnes à la fois de se promener sous ses branches. En guise de feuillage, 1500 photos en couleurs montrent des Canadiens au travail et dans leurs loisirs.

La journée la plus achalandée du pavillon du Canada est le 1er juillet, jour de sa fête nationale. L'occasion de célébrer est double : le Canada a 100 ans. Après une cérémonie officielle, tous sont invités à la Place des Nations pour partager un super gâteau de 100 kilos !

Le pavillon du Québec est situé pas très loin du pavillon du Canada. Ses murs sont en verre, si bien que le jour, il ressemble à un immense miroir et le soir, à une grande vitrine illuminée. Il est complètement entouré d'eau ; on dirait une île flottante. Pour y entrer, on traverse une passerelle encadrée de quatre chutes d'eau. À l'intérieur, les ascenseurs sont vitrés aussi. Au fil des étages, des arbres défilent : verts, blancs, multicolores, ils rappellent les quatre saisons. Ces ascenseurs, qui font beaucoup jaser, peuvent transporter jusqu'à 33 000 personnes par jour.

Durant l'Expo, le pavillon du Québec accueille 22 chefs d'État. Parmi les plus prestigieux, la reine Élisabeth II et le duc d'Édimbourg, le prince Albert et la princesse Paola de Belgique, le prince et la princesse Takamatsu du Japon ainsi que le prince Rainier et son épouse, Grace de Monaco.

L'Expo 67 est la première exposition universelle dont les pavillons ne représentent pas seulement des lieux, mais aussi des thèmes : L'Homme interroge l'Univers, L'Homme à l'œuvre, Le génie créateur de l'Homme, L'Homme dans la cité, l'Homme et l'agriculture. D'autres pavillons sont privés : Kodak, Pâtes et papiers, Scoutisme, Canadien Pacifique, etc.

Le chouchou de l'Expo 67 est d'ailleurs un pavillon privé, le pavillon du Téléphone. Presque tous ceux qui sont allés à l'Expo l'ont visité. Avant d'y entrer, il impressionne déjà. Sur ses murs extérieurs sont fixés les premiers téléphones à clavier, qui font alors sensation. À l'époque, la composition d'un numéro de téléphone se fait à l'aide d'un cadran. On insère son doigt dans un petit trou correspondant au chiffre que l'on veut composer, puis on tourne dans le sens des aiguilles d'une montre. On répète cette opération pour chacun des chiffres du numéro de téléphone. Avec le téléphone à clavier, on n'a qu'à appuyer sur une touche associée au chiffre. En 1967, tout clavier est synonyme de technologie du futur. On est tellement excité d'appuyer sur ces petites touches qu'on s'invente des amis à appeler !

À l'intérieur du pavillon, autre grande innovation : on peut enregistrer un message et l'entendre quelques secondes plus tard. C'est bien avant les boîtes vocales, qui n'existent pas encore. Si la ligne est occupée ou si la personne que l'on tente de joindre est absente, on rappelle plus tard !

La visite du pavillon réserve encore d'autres surprises : un téléphone si petit qu'il tient dans le creux de la main, le transfert d'appels et même la possibilité de programmer un numéro de téléphone dans son appareil. Toutes ces innovations font rêver. Est-ce qu'un jour on pourra avoir un téléphone aussi moderne dans sa propre maison ? On l'espère... mais on en doute !

Le gadget le plus étonnant est le vidéophone, la grande vedette du pavillon du Téléphone. Le vidéophone permet de voir la personne à qui l'on parle au téléphone. Aujourd'hui, cette technologie est à la portée de tous, mais il y a plus de 50 ans, c'était de la pure magie.

L'un des objectifs d'une exposition universelle est de montrer comment le génie de l'homme peut révolutionner la vie quotidienne. Le pavillon du Téléphone frappe en plein dans le mille, car il expose aujourd'hui ce que l'on souhaite posséder demain !

Indifférents aux progrès technologiques, les enfants préfèrent La forêt enchantée, dans laquelle ils peuvent converser au téléphone avec les héros de Disney. Mais pour petits et grands, le meilleur reste à venir. Quiconque a visité l'Expo se souvient du cinéma du pavillon du Téléphone. Un cinéma unique au monde.

12

DES FILMS QUI EN METTENT PLEIN LA VUE

Imaginons une salle de cinéma ronde. À l'intérieur, il n'y a aucun siège, que des rampes sur lesquelles s'appuyer. Neuf écrans, collés les uns aux autres, recouvrent les murs d'une grande salle où s'entassent 1200 personnes. Les lumières s'éteignent. Du noir surgit le film *Canada 67*, projeté tout autour des spectateurs.

Des images apparaissent à droite, à gauche, et même derrière les spectateurs. Ils sont au cœur de l'action. Cette technologie a été développée par les Productions Walt Disney spécialement pour l'exposition universelle de Montréal. C'est le premier cinéma circulaire sur la planète !

L'une des scènes les plus impressionnantes est le survol de la chaîne de montagnes des Rocheuses. Les images qui entourent les spectateurs semblent si réelles qu'ils doivent s'appuyer sur la rampe pour conserver leur équilibre. Le film les emmène aussi au milieu d'un rodéo et sur une patinoire de hockey. Pas dans les gradins, mais sur la patinoire, entourés des joueurs. L'illusion est parfaite.

Avec ce film et près de 5000 autres, l'Expo 67 marque le début du multimédia. Au pavillon de la Tchécoslovaquie, par exemple, un film est projeté sur un écran formé de 112 cubes qui avancent et reculent. Vingt-deux images par seconde sont diffusées dans chacun d'eux. Les spectateurs assistent aux représentations assis par terre sur un tapis. Ils n'en croient pas leurs yeux !

Un autre cinéma du pavillon présente le premier film interactif au monde, *Kinoautomat*. Le spectateur n'est plus passif devant l'histoire racontée par le film. Il peut l'influencer et même la changer, un peu à la façon des livres dont vous êtes le héros. Le procédé est simple, mais efficace : au moment où le film offre deux scénarios possibles, des hôtesses demandent au public de faire un choix, à main levée. Ce dernier retient le scénario qu'il préfère et le film se poursuit.

Le Kaléidoscope est un pavillon qui célèbre la couleur. Dans un de ses trois cinémas, en forme de cube, des images sont projetées non pas sur des écrans, mais sur des miroirs. L'effet est saisissant, les images se reflètent à l'infini, dans toutes les directions.

Dans Le Labyrinthe, pavillon thématique créé en collaboration avec l'Office national du film du Canada, la projection se déroule à la fois sur le mur et sur le plancher. Par exemple, l'image d'un bébé est projetée sur le plancher et au mur, on voit le père se pencher vers son enfant.

Au pavillon de la Santé, le film *Miracles de la médecine moderne* emmène les spectateurs là où ils ne sont jamais allés. Quatre hôpitaux ont ouvert leurs salles d'opération aux caméras. Résultat : six interventions chirurgicales filmées montrent les avancées de la médecine moderne. Deux millions de personnes voient le film... des centaines s'évanouissent à la vue du sang.

Lorsque le pavillon de l'Ontario programme *A Place to Stand* (Un endroit où s'épanouir), personne ne se doute qu'il remportera un Oscar. Ce court-métrage canadien montre la vie des Ontariens. Jusque-là, rien de spécial. Ce qui le distingue des autres? Il a des images multiples sur une même pellicule. Ce nouveau procédé est complexe : il a fallu deux ans pour tourner ce film de... 17 minutes! Après l'Expo, *A Place to Stand* a été projeté devant 100 millions de personnes au Canada, aux États-Unis et en Europe.

Les écrans multiples du pavillon du Labyrinthe ont mené à la création d'IMAX et le film interactif a pavé la voie aux jeux vidéo. Plusieurs cinéastes d'ici ont participé à cet essor extraordinaire. Car en 1967, beaucoup d'idées nouvelles circulent, et ce, dans tous les domaines. Peut-être parce que, pour la première fois dans l'histoire, les jeunes de moins 30 ans forment la moitié de la population.

— Wow, il y avait beaucoup de jeunes dans ton temps !

— Une belle gang, oui ! Et nous étions tous sur la même longueur d'onde, tous un peu pareils. On voulait vivre en paix, écouter de la bonne musique et être en amour ! Nous rêvions d'un monde meilleur. Et à l'Expo 67, nous avions l'impression que le monde était meilleur.

13

VIVE LA LIBERTÉ!

Les années 1960 tirent un trait entre deux époques. Le passé est dépassé, place au changement. Les premiers baby-boomers, c'est-à-dire les gens nés à la fin de la Deuxième Guerre mondiale, ont 20 ans lors de l'Expo 67. Bercés par l'espoir, ils veulent changer le monde. Rien de moins.

Entre 1944 et 1959, le Québec vit la Grande Noirceur, une période marquée par le règne de Maurice Duplessis. Ce premier ministre condamne les libertés individuelles et accorde un très grand pouvoir à la religion. Mais en 1960, l'élection d'un nouveau premier ministre, Jean Lesage, apporte un vent de fraîcheur. Son slogan, *Maîtres chez nous*, est le grand défi des années 1960 : que le Québec se prenne en main. Au même moment, de nouvelles technologies apparaissent, la mode vestimentaire change, la musique a un nouveau son.

Tout se transforme à la vitesse de l'éclair. Les Québécois gèrent maintenant eux-mêmes leur plus grande richesse naturelle, l'électricité. L'éducation dans les écoles n'est plus faite par les religieuses et les religieux, mais par des laïcs. Les femmes revendiquent le droit d'être les égales des hommes.

Le vent de changement souffle aussi sur la mode. Première petite révolution : la minijupe, créée en Angleterre par Mary Quant. Partout dans les rues, les femmes dévoilent leurs jambes. *Scandale*, crient les uns. *Bravo*, répliquent les autres. Vêtements aux couleurs vives, tissus aux motifs géométriques, bottes à talons plats, les designers laissent libre cours à leur imagination. Les femmes portent les cheveux courts, les hommes les cheveux longs. À cette époque, c'est le monde à l'envers. Les arts, la science et l'architecture sont en effervescence ; l'Expo 67 est la vitrine de ce bouillonnement. Tous les yeux sont tournés vers Montréal, qui prend sa place parmi les plus grandes villes du monde.

Vive le Québec libre !

Le 24 juillet 1967, un personnage célèbre va créer bien des remous sur la scène politique. Le général de Gaulle, comme on l'appelle familièrement, est le président de la France. Invité à l'Expo 67, il va changer le cours de l'histoire du Québec. Lors d'un discours prononcé au balcon de l'hôtel de ville de Montréal, il lance une phrase mémorable : *Vive le Québec libre !* À l'époque, l'idée de l'indépendance du Québec commence à germer. Ceux qui endossent cette cause n'en reviennent pas : le président de la France est dans leur camp.

Bien sûr, le premier ministre du Canada, Lester B. Pearson, trouve que le général ne se mêle pas de ses affaires. Le lendemain, il devait se rendre à Ottawa, mais cette visite est annulée. Le général rentre directement en France.

Vive le Québec libre ! Ces quatre petits mots ont la force d'un ouragan. Un an après la visite du général, René Lévesque fonde le Parti québécois, qui prône l'indépendance du Québec.

Mais le cœur des jeunes bat surtout au rythme de la musique.

Dans les années 1940 et 1950, les artistes s'adressent surtout aux adultes. Elvis Presley, à la fin des années 1950, débarque au son du rock'n'roll avec un *look* et une façon de bouger révolutionnaires. Les jeunes tournent le dos à la musique de leurs parents. Les années 1960 sont marquées par un conflit de générations. Jeunes et vieux n'ont pas du tout les mêmes goûts, ni les mêmes idées.

Prenons les Beatles, par exemple. Avec leurs cheveux longs et leurs guitares électriques, ces quatre musiciens de Liverpool, en Angleterre, plaisent aux jeunes autant qu'ils déplaisent à leurs parents.

Les Beatles ont enregistré leur premier disque en 1962, participé à plusieurs émissions de télévision et fait des spectacles un peu partout dans le monde. En 1967, ils sortent un album considéré par les critiques comme le meilleur de tous les temps, *Sgt. Pepper's Lonely Hearts Club Band*. Cet album est lancé le 1er juin à Londres, en Angleterre, et doit l'être aux États-Unis le lendemain.

Un animateur du pavillon de la Jeunesse, à l'Expo, connaît une agente de bord d'Air Canada qui est à Londres ce jour-là. Il lui demande d'acheter l'album et de le rapporter à Montréal. Le 1er juin, l'album est diffusé en boucle pour la première fois en Amérique du Nord dans les haut-parleurs du pavillon. Une autre primeur pour l'Expo 67! Après 15 minutes, il y a 50 personnes, après une heure 500 personnes et à la fin de la journée, plus de 5000 personnes sont en extase devant les nouvelles chansons de leurs idoles. Pour plusieurs, cette journée est la plus mémorable de l'Expo 67.

***

— Tu étais là, toi, ce jour-là? demande Charlotte en espérant que sa grand-mère dise oui.

— Oui ! Nous avions entendu parler de cet événement au pavillon du Québec durant la journée et dès la fin de mon travail, je me suis précipitée au pavillon de la Jeunesse.

— Il y avait beaucoup de monde ?

— Beaucoup, mais le plus étonnant, c'était le silence. On aurait cru que les jeunes allaient parler, crier, mais non, ils écoutaient les Beatles dans le plus grand respect des paroles et de la musique. Et tu sais qui était assis à côté de moi ?

— Une célébrité… ?

— Un beau jeune homme blond qui portait un T-shirt sur lequel était écrit *Peace and Love*. Paix et amour. Je ne lui avais même pas encore parlé que je trouvais qu'il était le plus beau gars du monde.

— Papi !

— Oui, ton papi. Il avait 20 ans comme moi et nous avons passé toute la soirée à écouter les

Beatles, dans une ambiance de fête, et à nous regarder, un peu gênés.

— Et puis que s'est-il passé?

— Je lui ai dit que j'étais hôtesse au pavillon du Québec…

— Et il est venu te voir le lendemain!

— Malheureusement non… seulement une semaine plus tard. Je pensais que je ne le reverrais jamais.

— Et puis après?

— Là, tu es un peu trop curieuse, ma grande. Mais je peux te dire qu'un an plus tard, nous vivions ensemble et l'année suivante, nous étions les parents d'un premier enfant, ta mère.

— Ouais… ça fait longtemps, tout ça.

— Pour moi, c'est comme si c'était hier.

14

HABITAT 67, LE GÉNIE AU CUBE

À Montréal, en 1963, un jeune étudiant en architecture de l'Université McGill, Moshe Safdie, pré-
pare son travail de fin d'études. Pour obtenir sa
note finale, il doit présenter un concept d'habitation à ses professeurs. Moshe a beaucoup d'imagination. Les tours d'habitation construites dans les
années 1950 et 1960 l'ennuient. Habiter un appartement en hauteur, avec de longs corridors et sans
jardins, bien peu pour lui! Son but est de créer
des habitations en hauteur, oui, mais qui auraient
un jardin et même une terrasse privée. Ses rêves
n'ont pas de limites : il aimerait aussi expérimen-
ter de nouvelles techniques de construction.

Le jeune homme, alors âgé de 26 ans, a plusieurs
idées en tête. Il cherche tout d'abord à les réaliser
à petite échelle. Il parcourt Montréal et achète
tous les jeux Lego sur le marché. Bizarre? Un peu,
oui. Que fait-il avec ces milliers de morceaux?

Moshe Safdie s'apprête à créer la maquette d'un complexe d'habitations unique au monde, Habitat 67.

Après avoir remis le résultat de son travail à ses professeurs, il présente son projet au directeur de l'aménagement de l'Expo, qui l'accepte d'emblée. Habitat 67 sera construit à l'Expo, dans la Cité du Havre. C'est un peu comme si un exposé, à l'école, devenait une émission de télévision. Ou encore comme si une rédaction était publiée dans un livre. Pour le jeune Safdie et pour Montréal, cette histoire est digne d'un conte de fées. Car Habitat 67 est si avant-gardiste qu'on en parlera partout sur la planète. Le monde de l'architecture saluera ce projet comme une révolution dans la façon de construire et de se loger.

Dans le passé, chaque exposition universelle a eu une réalisation qui a été célèbre non seulement pendant, mais après l'exposition. À Paris en 1889, ce fut la tour Eiffel. À Montréal, c'est Habitat 67.

Qu'y a-t-il de spécial à Habitat 67? Tout! Jamais un édifice n'a été construit de cette façon. Il est composé de 354 modules en béton qui s'appuient les uns sur les autres. Le principe veut qu'aucun module ne repose complètement sur celui du dessus ou du dessous. Le résultat est fascinant: on dirait une énorme empilade de cubes.

La façon de construire Habitat 67 est aussi très ambitieuse. Les modules sont fabriqués dans une usine de béton aménagée à même le chantier. Une fois construit, chaque bloc est mis en place à l'aide d'une grue, puis recouvert d'un couvercle de béton qui fera office de plafond. C'est très spectaculaire de voir ces immenses cubes de 80 tonnes être transportés dans les airs et reliés aux autres par des câbles. C'est ainsi que les 354 modules sont assemblés, sur 12 étages.

Il faut maintenant faire l'aménagement intérieur. Un appartement peut être composé d'un, deux ou trois cubes. Les salles de bain sont en fibre de verre moulée, d'un seul morceau. Fait cocasse, elles doivent être installées avant que le cube de béton ne soit scellé, car elles ne passent pas par les portes ! Quant aux comptoirs de cuisine, ils grimpent sur les murs pour ne faire qu'un avec eux. Incroyable pour l'époque, mais les laveuses et sécheuses sont superposées afin de maximiser l'espace. De grandes fenêtres qui vont du plancher au plafond offrent une vue extraordinaire sur la ville, sur le fleuve et sur l'Expo.

À l'entrée et aux différents étages, il n'y a pas de couloirs. On se déplace plutôt sur des passerelles, des rues piétonnes et de grands espaces communs. Chaque appartement a son jardin et sa terrasse, comme le rêvait M. Safdie.

Durant l'Expo, Habitat 67 est un pavillon thématique et plusieurs de ses appartements sont ouverts aux visiteurs. Ils se promènent d'un module à l'autre, incrédules devant un style aussi éclaté. D'autres appartements d'Habitat 67 sont réservés aux nombreux dignitaires de passage à Montréal. Ce séjour dans un environnement futuriste prolonge en quelque sorte l'expérience vécue durant leur journée à l'Expo.

15

SUR L'EAU, SUR TERRE ET DANS LES AIRS

L'Expo 67, c'est grand : 275 terrains de soccer placés côte à côte ! Bien que la plupart des visiteurs se déplacent à pied, plusieurs moyens de transport sont offerts sur le site. En tête de liste, l'Expo Express. Il ressemble à un métro, sauf qu'il roule en surface et non sous la terre. Un petit métro, toutefois : la ligne complète compte cinq stations. Deux sont à la Cité du Havre, une sur l'île Sainte-Hélène, une sur l'île Notre-Dame et une à La Ronde. Mais pour transporter les visiteurs, il fait des miracles. Chaque train, composé de six voitures, accueille 1000 passagers à la fois et 25 000 à l'heure.

L'Expo Express est le premier train entièrement automatisé à rouler en Amérique du Nord. Son conducteur est un... ordinateur. À cette époque, cette information reste secrète, car l'ordinateur est un concept encore mystérieux dont on

Les ordinateurs d'hier à aujourd'hui

Le plus petit ordinateur vendu aujourd'hui est beaucoup plus puissant que celui qui gérait tous les déplacements de l'Expo Express à l'époque ! Petits, performants et à la portée de tous, les ordinateurs sont partout : dans les montres, les jouets, les voitures, etc., mais il n'en fut pas toujours ainsi. Il y a 50 ans, il s'agissait d'un objet rare, coûteux et immense que seuls les militaires, les universités et les entreprises très spécialisées pouvaient s'offrir.

Prenons comme exemple un ordinateur installé dans une université, au milieu des années 1960. Son apparence n'a rien à voir avec celle des ordinateurs d'aujourd'hui. Il est composé de plusieurs « meubles », qui peuvent occuper un espace aussi grand qu'un salon. Pas question de le laisser fonctionner seul ; un opérateur lui dicte les commandes. Cet ordinateur « dinosaure » est aussi très capricieux. Il doit être installé dans un endroit à température contrôlée, car il ne supporte pas la chaleur et en dégage lui-même beaucoup. Il se trouve donc parfois derrière des portes closes, ce qui ajoute à son mystère.

Côté performance et prix, on repassera. Comparé à un micro-ordinateur d'aujourd'hui, sa mémoire est 200 000 fois plus petite, sa vitesse de calcul 50 000 fois plus lente, et son prix de 500 à 1000 fois plus élevé.

En ce temps-là, les souris n'étaient que de petites bestioles chassées par les chats ! Pour communiquer avec l'ordinateur, on utilisait une machine à écrire ou un lecteur de cartes perforées.

En 1967, au moment de l'Expo, toutes les données sont emprisonnées à l'intérieur de l'ordinateur. La compagnie IBM lance alors sur le marché une première disquette, qui rend les données portables. Cette dernière mesure 20 centimètres sur 20 centimètres. Comparée aux disques durs d'aujourd'hui, elle est immense. Pourtant, cette disquette ne peut contenir que 80 000 caractères, soit l'équivalent de ce livre. Un disque dur peut, aujourd'hui, en contenir des milliards.

pourrait même avoir peur. Pour rassurer les passagers, des conducteurs sont bien visibles à l'avant du train. Mais leur seule tâche est... d'appuyer sur un petit bouton pour ouvrir et fermer les portes ! L'ordinateur aurait aussi pu faire cette tâche... mais il fallait bien occuper les conducteurs !

D'autres moyens de transport sont fort amusants et fascinent encore plus les visiteurs. Le Minirail, par exemple. Ces petits trains bleus ou jaunes roulent sur des rails surélevés. Ils permettent de se relaxer tout en admirant le paysage du haut des airs. La plupart des célébrités qui ont visité l'Expo 67 ont fait un tour de Minirail, semblant retrouver leur cœur d'enfant.

Le point culminant de la promenade est situé au pavillon des États-Unis, traversé par le Minirail. Eh oui ! De grandes ouvertures ont été créées à deux extrémités de la structure du dôme géodésique pour qu'il puisse entrer et sortir. À l'intérieur, le Minirail circule entre les grandes affiches des vedettes de cinéma. Lorsqu'on

tourne les yeux vers le ciel, des capsules spatiales semblent flotter dans les airs. L'expérience
est fabuleuse.

Le Minirail a plusieurs itinéraires, mais le principal est celui qui le mène de l'île Sainte-Hélène à
l'île Notre-Dame. Le coût d'entrée est de 0,50 $.
Pour monter dans le Minirail de La Ronde, qui est
plus court, on paie 0,25 $.

Une autre façon de se déplacer est la Balade, un
petit train sur pneus. Celui-ci n'a pas de circuit
officiel, se contentant plutôt de s'adapter aux be-
soins des visiteurs.

Mais l'aventure sublime est de monter à bord de
l'aéroglisseur Hovercraft. À partir d'un quai de
la Cité du Havre, il emmène ses passagers à
l'île Sainte-Hélène et à La Ronde via le fleuve
Saint-Laurent. Fabriqué en Grande-Bretagne, cet
étrange véhicule est capable de se déplacer sur la
terre et sur l'eau. Ni bateau ni avion, il glisse à
10 centimètres au-dessus du niveau de l'eau.

Arrivé à destination, chacun des 58 passagers qu'il transporte reçoit un certificat d'authentification prouvant qu'il est bien monté dans ce coussin d'air flottant. Trois cent cinquante mille personnes ont eu ce privilège.

Le bateau-mouche *Vaporetto* est beaucoup plus romantique. On se croirait à Paris ou à Venise, où ces petites embarcations font la joie des touristes. Le *Vaporetto* ondule doucement sur les canaux et permet de découvrir l'Expo d'un autre point de vue.

Ceux qui désirent se reposer d'une trop longue marche optent aussi pour des vélos-taxis, appelés

PédiCab. Conduits par des cyclistes très en forme, ces vélos sont munis d'un banc double à l'avant et peuvent se faufiler entre les kiosques, les pavillons et les foules.

Ceux qui ne craignent pas les hauteurs traversent La Ronde en téléphérique. Celui-ci est composé de plusieurs petites cabines suspendues à un câble.

— Mamie, je veux aller à La Ronde avec toi !

— Ouf ! C'est beaucoup de souvenirs pour moi en une seule journée.

— Tu pourras me montrer où tu as rencontré papi.

— Ah toi, tu sais comment me convaincre ! OK. Allons-y. En sortant de la Biosphère, c'est à une vingtaine de minutes de marche.

— Pas de problème.

— Parle pour toi ! conclut Suzanne à la blague.

16

LA MAGIE DE LA RONDE

La Ronde est le plus grand parc d'amusement au Québec. Mais combien savent qu'il a vu le jour lors de l'Expo 67 ? Il doit d'ailleurs son nom au fait qu'il a été construit sur une partie de l'île Ronde, au pied du pont Jacques-Cartier.

La petite histoire de La Ronde commence pourtant bien mal. Le budget de l'exposition universelle est serré et certains organisateurs veulent renoncer à sa construction. Mais l'un d'eux ne le voit pas ainsi. Philippe de Gaspé Beaubien, le directeur de l'exploitation de l'Expo, invite les sceptiques à visiter les Jardins de Tivoli, à Copenhague. Ce parc d'amusement, qui date de 1843, ne comprend pas que des manèges ; on peut aussi y manger, visiter des expositions et assister à des concerts. La stratégie fonctionne. L'exposition universelle aura son parc d'amusement et personne ne le regrettera. En 1967, ses tourniquets comptabiliseront 22 millions d'entrées.

À l'exemple de Tivoli, La Ronde n'est pas un parc d'amusement comme les autres. Outre ses 12 manèges, les visiteurs sont séduits par les couleurs vives des kiosques, les restaurants de plusieurs pays, les jardins, les jeux et les spectacles. Une ambiance de carnaval y règne tous les jours, de 9 h 30 du matin jusqu'à 2 h 30 de la nuit.

Prenons par exemple le Fort Edmonton. Avec son décor des années 1800, ses concours pour hommes forts, son ancien salon de barbier et ses cabarets, on se croirait dans l'Ouest canadien à l'époque de la ruée vers l'or. Entre 1896 et 1899, 100 000 personnes se sont rendues au Klondike, au nord-ouest d'Edmonton, croyant pouvoir y trouver de l'or. Fort Edmonton recrée parfaitement cette ambiance d'excitation et d'euphorie.

La Pitoune, l'un des manèges les plus populaires de La Ronde, est située à quelques pas de là. C'est l'attraction la plus courue par les familles, car elle est appréciée par les grands autant que les petits. Après avoir patienté dans une file d'attente d'au moins une heure, on monte dans une petite embarcation en forme de billot. Et c'est parti! On descend dans un canal étroit, balloté par les vagues. Un manège qui se déplace sur l'eau et non sur des rails, c'est du jamais-vu au Québec. La descente est d'autant plus excitante qu'elle se termine dans un grand *splash* d'eau, qui arrose les passagers. Très rafraîchissant les jours de canicule.

Les plus braves se dirigent vers le manège le plus prometteur de La Ronde, le Gyrotron. Avec un nom pareil, on se demande bien dans quelle galère on s'embarque! C'est sûrement ce que se sont dit les 360 personnes qui y sont restées prisonnières le jour de l'ouverture, à cause d'une panne.

De l'extérieur, le Gyrotron est imposant. Cette immense pyramide grillagée est haute de 66 mètres, rien de moins qu'un édifice de 20 étages. Sa construction a coûté 3 millions de dollars. Elle a été conçue spécialement pour l'Expo 67.

Vivre l'expérience du Gyrotron, c'est prendre place dans un petit chariot de quatre passagers qui se déplace sur rails. Il entre tout d'abord dans une pyramide où sont reproduits des images et des sons qui simulent un voyage en fusée. Au sommet de cette pyramide, le chariot se retrouve à l'extérieur, tout en haut de l'immense structure de métal. Ce petit passage ne dure que quelques secondes, car le chariot plonge dans le cratère d'un volcan en activité, au milieu de lave en fusion. Pas le temps de se remettre de ses émotions qu'un monstre émerge des flammes. Alors que certains visiteurs sont impressionnés par ce parcours, d'autres le trouvent un peu trop sage et prévisible. Le Gyrotron ne fait pas l'unanimité.

Encore plus haute que le Gyrotron, la Spirale est une cabine qui peut élever 60 personnes à 100 mètres du sol. De là-haut, la vue est magnifique. Tout en bas se trouve le lac des Dauphins. Le jour, on y présente des spectacles de canots automobiles et de ski nautique, et le soir, des feux d'artifice.

En marchant à La Ronde, une nouvelle attraction s'offre à chaque tournant. La Tchécoslovaquie présente un spectacle dont le concept a déjà fait le tour du monde, *Laterna magika*. À mi-chemin entre le cinéma et le théâtre, *Laterna magika* attire les foules à juste raison. Les acteurs, les danseurs et les musiciens apparaissent simultanément sur la scène et à l'écran. Eh oui ! Durant la projection du film, les personnages « sortent » de l'écran et apparaissent sur scène. C'est magique, comme son nom l'indique.

Les plus aventuriers préfèrent se promener à dos d'éléphant, de chameau ou d'autruche. Un safari en pleine ville... À l'Expo, il n'y a pas de limites, tous les rêves sont permis. Les jeunes enfants qui déambulent au Monde des petits croient aussi rêver : tous les jeux et les manèges ont été construits à leur hauteur.

Deux pavillons ont élu domicile à La Ronde. Tout d'abord le pavillon Alcan, qui, avec ses 23 aquariums, fait découvrir des poissons de toutes les formes et de toutes les couleurs. Mais le clou de la visite est de voir sauter les dauphins, dans un amphithéâtre de 900 places. Il arrive même que ces derniers se retrouvent au lac des Dauphins pour offrir d'autres spectacles. Un tunnel construit entre leur aquarium et le lac leur permet de s'y rendre sous l'eau !

L'autre pavillon est celui de la Jeunesse. C'est le rendez-vous quotidien de milliers de jeunes de 15 à 30 ans. Ils s'y rendent pour exprimer leurs idées et leurs opinions sur les sujets chauds de l'heure : l'amour, la paix, la liberté. C'est un peu comme les réseaux sociaux aujourd'hui, mais dans un monde réel et non virtuel. On y présente aussi des spectacles, des pièces de théâtre, des conférences. La musique est omniprésente ; on y danse tous les soirs.

— C'est donc là que tu as rencontré papi ? demande Charlotte une fois arrivée à l'emplacement du pavillon de la Jeunesse.

— Eh oui. C'est un peu triste de voir que le pavillon n'est plus là. On a vécu tant de beaux moments ici.

— Avec tout ce que tu m'as raconté, je comprends maintenant toute l'importance qu'a eue l'Expo 67 dans ta vie et dans celle de beaucoup de monde.

— Ce sont de beaux souvenirs, mais le passé, c'est le passé. Maintenant, on regarde devant. Il y a encore plein de belles choses qui nous attendent.

— Ah oui?

— Jardiner, par exemple ! Allez viens, on retourne à la maison. Nous avons beaucoup de travail à faire demain.

17

LA FiN D'UNE AVENTURE MERVEILLEUSE

Le vendredi 27 octobre 1967 est une journée très spéciale pour tous les élèves de Montréal. Les écoles sont fermées. Pourtant, ce n'est ni un jour férié ni un jour de tempête. La commission scolaire veut tout simplement donner la chance aux jeunes de visiter l'Expo 67 une dernière fois. Car dans deux jours, le dimanche 29 octobre, s'écrira le mot FIN.

Officiellement, une exposition universelle ne doit pas durer plus de 183 jours. À l'origine, l'Expo devait donc fermer ses portes le vendredi 27 octobre. Mais les organisateurs trouvaient dommage de ne pas profiter d'une dernière fin de semaine de festivités. Ils obtinrent donc une extension de deux jours auprès du Bureau international des expositions, à Paris. Cela permit à deux événements exceptionnels de se produire à l'Expo.

Le samedi 28 octobre, une femme de Châteauguay, en banlieue de Montréal, a donné naissance à une petite fille à la clinique de l'île Sainte-Hélène. L'accouchement s'est bien déroulé, mais par précaution, la mère et l'enfant ont été transportées à l'hôpital Notre-Dame. Le premier ministre du Canada, Lester B. Pearson, aime bien dire que cette journée-là, il est sorti de l'Expo plus de personnes qu'il n'en était entré !

Tant qu'à naître à l'Expo, aussi bien faire les choses en grand : la petite Catherine-Hélène est baptisée quelques jours plus tard dans un appartement d'Habitat 67 !

L'autre événement majeur se passe à l'une des entrées de l'Expo. À 18 h 58, Marthe Racine arrive à l'Expo pour y passer un dernier samedi soir. À sa grande surprise, elle est assaillie par les flashes des photographes et les questions des journalistes. Elle est le 50 millionième visiteur d'Expo 67 ! Ce hasard lui vaut plusieurs cadeaux, dont un voyage à la prochaine exposition universelle, qui se tiendra à Osaka, au Japon, en 1970.

Le dimanche 29 octobre, dernière journée de l'Expo, 220 000 personnes franchissent les tourniquets. La cérémonie de clôture de l'Expo se déroule à la Place des Nations, là où a eu lieu son inauguration six mois plus tôt. Il s'en est passé, des choses, depuis! Au départ, les organisateurs espéraient 30 millions d'entrées; il y en a eu 50 306 648. Rares sont les gens qui ne sont venus qu'une seule fois à l'Expo. Tombés sous le charme lors de leur première visite, ils sont revenus 10 fois, 20 fois, 50 fois!

Un sentiment de tristesse flotte à la Place des Nations. « Après avoir vécu 185 jours à apprendre le monde, Montréal doit, en un seul jour, apprendre à s'en séparer », dit le maire Jean Drapeau aux invités, dans son discours de clôture.

Ce jour-là, les tourniquets de l'Expo s'immobilisent à 14 h. Soixante-sept coups de canon annoncent la fermeture des pavillons, des bars, des restaurants, des boutiques et de La Ronde. Expo Express, Minirails et Balades se dirigent graduellement vers leurs garages respectifs, vides. Les visiteurs se promènent en silence en tentant de s'imprégner de l'ambiance magique des îles, sachant que c'est la dernière fois.

C'est à la Cité du Havre qu'aura lieu le rendez-vous du dernier adieu. Devant Habitat 67, un feu d'artifice met fin en beauté à six mois de rêves.

La nuit et le rideau tombent sur l'exposition universelle de Montréal.

ÉPILOGUE

— Ça devait être spécial pour toi, la fin de l'Expo ? demande Charlotte.

— Oui, un peu bizarre, même. Je venais sur les îles presque tous les jours et du jour au lendemain, plus rien. Mais j'avais tellement de beaux souvenirs en tête. Et mes études à poursuivre, donc pas trop le temps de m'ennuyer.

De retour à la maison, Charlotte et sa grand-mère en ont long à raconter à papi, qui les écoute avec un petit sourire en coin. Pendant qu'il pêchait, ses deux amours ont fait un voyage dans le temps qui lui rappelle aussi de bien beaux moments.

À l'Expo 67, Jacques a connu sa belle Suzanne, mais il s'est aussi découvert une nouvelle passion : l'architecture. À 21 ans, il a réorienté ses études pour devenir architecte. Charlotte constate une fois de plus que l'Expo 67 a influencé beaucoup de gens de la génération de sa grand-mère.

Et c'est au dessert que tout à coup, elle a une idée! Pourquoi ne profiterait-elle pas de l'été qui commence pour préparer une présentation sur l'Expo 67, avec l'aide de sa grand-mère? En septembre, au début des classes, les élèves sont toujours invités à raconter un événement marquant de leurs vacances. Pour Charlotte, ce serait sa visite sur les îles et tout ce qu'elle a appris sur l'Expo 67. Elle impressionnerait ses amis, c'est sûr!

Le soir dans son lit, Charlotte a de la difficulté à s'endormir, encore tout excitée de la journée passée avec sa grand-mère. Une autre idée lui traverse l'esprit. Est-ce que c'est réalisable? Il va falloir être très convaincante.

***

Charlotte vient de terminer son exposé sur l'Expo 67. Elle est contente et soulagée: toute la classe l'a écoutée sans dire un mot. Mais elle pouvait voir l'étonnement dans les yeux de tous ses amis. En guise de conclusion, Charlotte s'apprête à les étonner encore plus. Elle sort de la classe et revient quelques secondes plus tard avec sa grand-mère qui, pour l'occasion, a revêtu son beau costume d'hôtesse. Y compris le petit chapeau avec la croix.

Toute la classe applaudit.

Charlotte regarde sa grand-mère, qui essuie une petite larme de joie. Elles sont tellement fières l'une de l'autre, elles ont réussi leur coup !

Jamais Charlotte n'aurait cru que d'un matin prévu pour jardiner naîtraient deux belles histoires : celle de l'Expo 67, mais aussi celle d'une nouvelle complicité avec sa grand-mère.

CHRONOLOGIE

1851   Le Bureau international des expositions accorde sa première exposition universelle à la ville de Londres, en Angleterre. Elle se tient du 1er mai au 15 octobre au Crystal Palace, un magnifique bâtiment de verre construit pour l'occasion. L'événement obtient un franc succès, avec 6 millions d'entrées, soit l'équivalent de 25 % de la population du pays.

1851   L'un des journaux les plus influents au monde, le *New York Times,* publie son premier numéro. Nul doute que l'exposition de Londres figure parmi les nouvelles les plus importantes rapportées par le quotidien.

1956   Louis-Alphonse Barthe soumet l'idée d'organiser une immense foire pour le centenaire du Canada, en 1967. Son idée va faire son chemin jusqu'au premier ministre du Canada, John Diefenbaker.

1956   Des Canadiens se distinguent aux Jeux olympiques de Melbourne. Archibald McKinnon, Kenneth Loomer, Walter D'Hondt et Donald Arnold remportent la médaille d'or en aviron, à quatre sans barreur. Vingt ans plus tard, les compétitions d'aviron des Jeux olympiques de Montréal ont lieu au bassin de l'île Notre-Dame, sur le site où s'est déroulée l'Expo 67.

1958   *À l'exposition universelle de Bruxelles, le sénateur Mark Drouin annonce l'intention du Canada de poser sa candidature pour la tenue d'une exposition universelle à Montréal en 1967, à l'occasion du centenaire du Canada.*

1958   L'Exposition universelle de Bruxelles est la première depuis la fin de la Première Guerre mondiale, en 1945. Quarante-trois pays y participent et elle enregistre 42 millions d'entrées. Les deux pavillons les plus visités sont ceux de l'URSS et des États-Unis.

| 1960 | *Montréal soumet sa candidature au Bureau international des expositions, à Paris. Deux autres pays font de même : l'URSS et l'Autriche. Peu de temps avant le vote, l'Autriche se retire. C'est finalement l'URSS qui est choisie pour présenter une exposition universelle en 1967. Elle se tiendra dans sa capitale, Moscou.* |

1960 — Au Québec, le 22 juin, Jean Lesage est élu premier ministre du Québec. Son élection marque le début de la Révolution tranquille, une période qui transformera le Québec et le fera entrer dans la modernité.

| 1962 | *Choisie pour tenir une exposition universelle à Moscou en 1967, l'URSS se désiste. Montréal aura ce privilège.* |

1962 — Le réseau des transports a le vent dans les voiles à Montréal. Une cérémonie présidée par le maire Jean Drapeau marque le début de la construction du métro. Le réseau routier se développe du côté de la rive sud avec la construction du tunnel Louis-Hippolyte-La Fontaine et l'inauguration du pont Champlain.

| 1963 | *Le maire Jean Drapeau annonce que l'Expo 67 se tiendra sur des îles situées dans le fleuve Saint-Laurent, au sud de Montréal. L'île Sainte-Hélène et la jetée McKay seront agrandies et une île sera entièrement créée, l'île Notre-Dame.* |

1963 — Inauguration de la Place des Arts, qui n'est alors qu'une seule grande salle de spectacle, pouvant accueillir plus de 3000 spectateurs. Le concert d'ouverture est donné par l'Orchestre symphonique de Montréal, dirigé par Zubin Mehta et Wilfrid Pelletier. Trois ans plus tard, la grande salle de la Place des Arts portera le nom de Wilfrid-Pelletier.

1964

En juin, les travaux de remblayage des îles Sainte-Hélène et Notre-Dame sont terminés. C'est maintenant le temps de commencer la construction des 850 bâtiments nécessaires à la tenue de l'Expo 67.

1964

Le 8 septembre, le groupe le plus populaire au monde, les Beatles, donne un spectacle au Forum de Montréal, alors le temple du hockey des Canadiens.

1966

La construction de la plupart des pavillons de l'Expo 67 est terminée. Au début de l'hiver commence l'aménagement de l'intérieur des pavillons.

1966

Lors de la mission Gemini 12, l'astronaute Edwin « Buzz » Aldrin fait 59 orbites autour de la Terre, en plus d'effectuer cinq sorties dans l'espace. Avec Neil Armstrong, il sera le premier homme à marcher sur la Lune trois ans plus tard.

1967

Le 27 avril, ouverture de l'exposition universelle de Montréal, en présence de 7000 invités réunis à la Place des Nations. Le public ne sera admis que le lendemain.

1967

Créé en 1967, l'Ordre du Canada reconnaît les Canadiens qui ont contribué à l'essor du Canada tout au long de leur vie. Yvette Brind'Amour figure parmi les premiers récipiendaires. Cette comédienne est la fondatrice d'un des plus anciens théâtres à Montréal, le Théâtre du Rideau vert.

LES ÎLES APRÈS L'EXPO 67

1968

Première saison de *Terre des Hommes*,
l'exposition permanente qui suit l'Expo 67.
Certains des pays participants cèdent leur
pavillon à la Ville de Montréal, d'autres changent
de vocation. Il y aura 20 millions d'entrées à *Terre
des Hommes* en 1968.

Après avoir été remisés pour l'hiver, les manèges
de La Ronde se réaniment dès le printemps
suivant et tous les printemps depuis. De nouveaux
manèges se sont ajoutés au fil des années, qui
feraient frémir les visiteurs de l'Expo 67. Des
installations originales, il reste la Spirale, le
Minirail et la Pitoune.

1976

L'île Notre-Dame connaît une première grande
transformation, avec la création d'un bassin
d'aviron. Il servira aux compétitions des Jeux
olympiques de Montréal. Ce bassin est permanent
et permet la tenue à Montréal de grandes
compétitions internationales, en plus d'être un
site d'entraînement de pointe pour les athlètes.

1978

Une partie de l'île Notre-Dame est convertie en
piste de course de Formule 1. Le 8 octobre 1978,
un premier Grand Prix du Canada y est présenté.
Le vainqueur est le seul coureur québécois du
circuit, Gilles Villeneuve. C'est l'euphorie dans les
gradins. Quatre ans plus tard, Gilles Villeneuve
est victime d'un accident mortel en Belgique, lors
des qualifications au Grand Prix de Zolder. La
piste de l'île Notre-Dame devient alors le circuit
Gilles-Villeneuve.

1980

À Paris, le Bureau international des expositions
octroie à Montréal un deuxième événement
d'envergure : les Floralies internationales. Elles se
tiendront sur l'île Notre-Dame. Douze pays créent
alors de magnifiques jardins, formés de milliers de
fleurs, plantes et arbustes. Aujourd'hui encore, ils
continuent d'embellir le paysage.

1981	Plusieurs des pavillons de l'Expo 67 sont en fin de vie. Construits pour six mois seulement, souvent sans protection contre les intempéries, il a fallu les transformer pour les adapter au climat québécois. Mais leur entretien coûte cher. Après 14 ans, *Terre des Hommes* ferme ses portes.
1983	L'île Sainte-Hélène accueille la première Fête des neiges, avec ses sculptures sur glace, ses promenades en traîneau à chiens, son cirque polaire et sa patinoire extérieure.
1985	Le Festival international de feux d'artifice s'installe à La Ronde.
1986	Démolition de la plupart des pavillons de l'Expo 67.
1990	Sur l'île Notre-Dame, elle-même inventée de toutes pièces, va naître une plage aujourd'hui appelée plage Jean-Doré, du nom d'un ancien maire de Montréal. S'il avait fallu 28 tonnes de roc pour remblayer les îles, 30 000 tonnes de sable y sont transportées pour créer la plage. L'eau, puisée dans le fleuve Saint-Laurent, est filtrée par 120 000 plantes aquatiques.
1992	À l'occasion du 25e anniversaire de l'Expo 67 et du 350e de Montréal, les îles Sainte-Hélène et Notre-Dame sont converties en un grand parc, le Parc des îles. On y découvre des sentiers propices à la marche, au vélo et aux pique-niques. Des œuvres d'art public agrémentent les randonnées. Une belle oasis naturelle, à dix minutes du centre-ville.
1993	Les pavillons de la France et du Québec, après d'importantes restaurations, abritent maintenant le Casino de Montréal sur l'île Notre-Dame.
1995	L'ancien pavillon des États-Unis devient le premier musée de l'environnement, connu sous le nom de Biosphère.

1999	Le Parc des îles est rebaptisé parc Jean-Drapeau, en hommage à l'ancien maire de Montréal, Jean Drapeau, qui avec l'Expo et d'autres réalisations, a propulsé Montréal parmi les grandes villes internationales.
2003	Premier Piknic Electronik, qui rassemble des milliers d'amateurs de musique électronique tous les dimanches de l'été au parc Jean-Drapeau.
2005	Toujours au parc Jean-Drapeau, place aux Week-ends du monde. Dans la foulée d'une tradition commencée à l'Expo 67, cet événement propose un voyage autour du monde à travers la musique, la danse et la gastronomie.
2006	Début du festival Osheaga, qui célèbre la musique et les arts visuels. Chaque année, il attire environ 100 000 personnes.
2007	L'île Sainte-Hélène fait maintenant partie du patrimoine culturel du Québec.

La même année, Habitat 67 est classé monument historique. Il devient le premier édifice moderne à obtenir cette reconnaissance de la part du gouvernement du Québec. |

L'EXPO 67 EN CHIFFRES

Nombre d'entrées à Expo 67 : **50 306 648**
Répartition des visiteurs : États-Unis (**45 %**),
Montréal (**27 %**), Canada (**19 %**), Québec (**5 %**),
autres pays (**4 %**).

**L'aménagement des îles
a nécessité la construction de...**
82 kilomètres de routes
37 kilomètres d'égouts
30 kilomètres de tuyaux d'eau
115 kilomètres de conduits électriques
100 000 kilomètres de câbles et de fils
27 ponts pour traverser les canaux
6200 bancs extérieurs
Espaces de stationnement pour **24 484** véhicules

L'aménagement paysager
12 000 arbres
186 000 arbustes
700 000 fleurs
97 acres de gazon
58 fontaines
198 sculptures extérieures
256 piscines, fontaines et sculptures

L'entretien des îles
160 ouvriers travaillaient à la propreté du site
4330 réceptacles à déchets installés sur les
promenades et dans les pavillons
150 tonnes de déchets générés chaque jour par les
visiteurs

Faits divers
26 234 enfants ont été perdus et **26 234** enfants ont
été retrouvés
Objets perdus : **29 383**
Objets retrouvés : **12 251**, dont plusieurs perruques
d'hommes, un porte-monnaie contenant **5000 $** et
un coffret contenant **25 000 $** de bijoux
Objets trouvés non réclamés : **750** caméras,
500 parapluies, **1500** porte-monnaie et **250** montres
La météo durant l'Expo : **140** jours de soleil et nuages,
45 jours de pluie

L'Expo est si populaire que dès le 16 mai, soit
moins de trois semaines après son ouverture, on
procède à l'impression de **150 000** nouveaux
passeports.

Le pavillon de la Principauté de Monaco reçoit
2,5 millions de visites, soit **100** fois plus que le
nombre de ses habitants.

BIBLIOGRAPHIE

LIVRES

Expo 67 Guide officiel, Montréal, Les éditions Maclean-Hunter, 1967.

Jasmin, Yves. *La petite histoire d'Expo 67*, Montréal, Éditions Québec-Amérique, 1997.

SITES WEB
archivesdemontreal.com
collectionscanada.gc.ca
expo67.morenciel.com

REMERCIEMENTS

L'auteur remercie les personnes suivantes :

Claude Latour, pour avoir partagé ses connaissances pointues sur l'Expo 67 ;

Bruno Paul Stenson, pour avoir relu le manuscrit avec son œil de lynx ;

Jacqueline Vézina et Stéphane Venne, pour avoir permis la reproduction des paroles de la chanson *Un jour, un jour*.

LES COLLABORATEURS

Johanne Mercier a 12 ans lors de l'Exposition universelle qui se tient à Montréal en 1967. Jeune fille curieuse et avide de tout connaître, elle saisit alors l'occasion de faire le tour du monde... dans sa propre ville. À l'Expo, elle découvre avec étonnement les vaisseaux spatiaux du pavillon des États-Unis, le cinéma circulaire au pavillon du Téléphone, les coutumes des pays africains, les délicieuses boulettes de viande asiatiques Bo-Bo Balls et le manège La Pitoune à La Ronde. L'été de ses 12 ans, c'est le plus bel été de sa vie! D'ailleurs, son entourage dit qu'après le maire de Montréal, Jean Drapeau, c'est elle qui est la plus fière de sa ville et de l'Expo!

François Couture dessine depuis qu'il est tout jeune. À 13 ans, il suivait déjà des ateliers destinés aux adultes, pour apprendre à reproduire des modèles vivants. Grâce à une formation en arts plastiques et en graphisme, il a pu transformer son talent en métier. Son style d'illustration, à la fois réaliste et parfois apparenté à la bande dessinée, est aujourd'hui apprécié de ses nombreux clients, principalement en publicité mais aussi dans le domaine du spectacle et des grands événements d'envergure internationale.

TABLE DES MATIÈRES

DANS LA MÊME COLLECTION

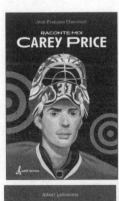

RACONTE-MOI
CAREY PRICE
Jean-François Chaumont

RACONTE-MOI
MARIE-MAI

RACONTE-MOI
RENÉ LÉVESQUE
Karine R. Nadeau

RACONTE-MOI
LES NORDIQUES
Albert Ladouceur

RACONTE-MOI
JULIE PAYETTE
Alexandre Pratsois

RACONTE-MOI
PIERRE ELLIOTT
TRUDEAU
François Perreault

RACONTE-MOI
JOEY
SCARPELLINO
Patrick Delisle-Crevier

RACONTE-MOI
LES CANADIENS
Jean-Patrice Martel

RACONTE-MOI
LES JEUX OLYMPIQUES DE
MONTRÉAL
Jean-Patrice Martel

Jessica Lapinski

RACONTE-MOI
MAX
PACIORETTY

Patrick Delisle-Crevier

RACONTE-MOI
CÉLINE DION

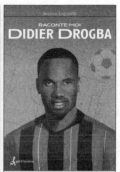

Jessica Lapinski

RACONTE-MOI
DIDIER DROGBA

Benoit Clairoux

RACONTE-MOI
LE MÉTRO DE
MONTRÉAL

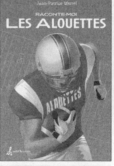

Jean-Patrice Martel

RACONTE-MOI
LES ALOUETTES

Jonathan Bernard

RACONTE-MOI
P.K. SUBBAN

Patrick Delisle-Crevier

RACONTE-MOI
MARTIN MATTE

Karine R. Nadeau

RACONTE-MOI
LES SŒURS
DUFOUR-LAPOINTE

Suivez-nous sur le Web

Consultez nos sites Internet et inscrivez-vous à l'infolettre pour rester informé en tout temps de nos publications et de nos concours en ligne. Et croisez aussi vos auteurs préférés et notre équipe sur nos blogues !
EDITIONS-PETITHOMME.COM
EDITIONS-HOMME.COM
EDITIONS-JOUR.COM
EDITIONS-LAGRIFFE.COM

Cet ouvrage a été achevé d'imprimer
sur les presses de Marquis Imprimeur inc.